Herzen, Aleksar

Aus den memoiren e...es Russen

Herzen, Aleksandr

Aus den memoiren eines Russen

Inktank publishing, 2018

www.inktank-publishing.com

ISBN/EAN: 9783747795095

Aus den

Memoiren eines Russen.

———

Im Staatsgefängniß

und

in Sibirien

von

Alexander Herzen,

Verfasser des „Vom anderen Ufer", der „Briefe aus Italien und
Frankreich" und „Rußlands sociale Zustände".

————

Hamburg.

Hoffmann und Campe.

1855.

Vorwort.

Gegen das Ende des Jahres 1852 wohnte ich in Primrose Hill, einem entlegenen Stadttheile Londons, getrennt von aller Welt durch Entfernung, Nebel und meinen eigenen Willen.

In London hatte ich keinen einzigen mir nahestehenden Menschen. Da waren Leute, die ich schätzte, die mich schätzten, aber näher war mir Niemand. Alle, die in Berührung mit mir kamen, die sich von mir entfernten, die mir begegneten, waren bloß mit allgemeinen Interessen beschäftigt, mit den Angelegenheiten der ganzen Menschheit, wenigstens denjenigen eines ganzen Volkes; mein Verkehr mit ihnen war, so zu sagen, ein unpersönlicher. Monate vergingen, und kein Wort ward laut über das, worüber ich hätte sprechen mögen.

... Ich war damals eben wieder zu mir selbst gekommen, ich fing an zu genesen nach einer Reihe schrecklicher Ereignisse, Unglücksfälle und Fehler. Die Geschichte meiner letztverflossenen Lebensjahre stellte sich mir allmälig deutlicher und deutlicher dar, und ich sah mit Entsetzen, daß kein Mensch außer mir sie kannte, und daß mit meinem Leben auch die Wahrheit darüber untergehen würde.

Ich faßte den Entschluß zu schreiben. Da rief aber eine Erinnerung hundert andere hervor; — alles Alte,

5

halb=Vergeſſene lebte von neuem für mich auf — jugend=
liche Träume, jugendliche Hoffnungen, der Lebensmuth
des Jünglingsalters, Gefangenſchaft und Verbannung *) —
jene frühzeitigen Mißgeſchicke, welche keine Erbitterung in
der Seele nach ſich ließen, welche vorüberzogen wie ein
Frühjahrsgewitter, das durch ſeine Schläge das junge Le=
ben auffriſcht und ſtärkt.

Ich hatte nicht die Kraft, dieſe Schattenbilder zurück=
zuweiſen. — Mögen ſie, dachte ich, ſo licht in's Buch ein=
treten, wie ſie in mein Leben traten.

Und ſo begann ich, von Anfang an meine Lebens=
erinnerungen zu ſchreiben. — Während ich die zwei er=
ſten Theile ſchrieb, gingen mir etliche Monate etwas ru=
higer vorüber .....

Die Lebenszähigkeit der Menſchen iſt beſonders in
ihrer unglaublich großen Zerſtreuungs = und Sichſelbſtbe=
täubungs=Kraft ſichtbar. Das Heute iſt leer, das Geſtern —
furchtbar, das Morgen — gleichgültig; der Menſch zer=
ſtreut ſich, indem er längſt=Vergangenes wieder durchſieht —
und auf ſeinem eigenen Gottesacker ſpielt . . . .

London, d. 1. Mai 1854.

---

*) „Gefangenſchaft und Verbannung" bildet den zwei=
ten Theil meiner Lebenserinnerungen. In dieſem Theile iſt
am wenigſten die Rede von mir; deßhalb eben ſchien er mir
der intereſſanteſte für das Publikum zu ſein.

Inhaltsanzeige.

I.

Die Prophezeiung. — N.'s Verhaftung. — Feuersbrunst. —
Der Moskauer Liberale. — M. F. Orloff. — Der Gottesacker.

———

... Im Frühjahr 1834 kam ich eines Morgens zu Wadim; weder er noch seine Brüder und
Schwestern waren zu Hause. Ich ging nach oben,
in eine kleine Stube, und setzte mich, um zu schreiben.

Da öffnete sich leise die Thür, und eine alte
Frau trat herein. Es war die Mutter Wadim's.
Mit kaum hörbaren Schritten, schwach und matt,
näherte sie sich dem Lehnsessel und sagte mir:
„Schreiben Sie doch, schreiben Sie. — Ich kam
blos, um zu sehen, ob Wadä noch nicht zurück sei;
die Kinder sind spazieren gegangen; unten ist eine
solche Leere, daß mir bange zu Muthe wurde —
ich bleibe hier ein Weilchen sitzen und werde Sie
nicht stören — machen Sie Ihre Arbeit."

Herzen's Verbannung.   1

Ihr Antlitz war nachdenkend und drückte klarer als gewöhnlich das in der Vergangenheit Erlebte aus, so wie jene Furcht vor der Zukunft, jenes Mißtrauen gegen das Leben, welche immer die Folge großer, zahlreicher Widerwärtigkeiten und Unglücksfälle sind.

Wir kamen in's Gespräch. Sie erzählte mir Manches von Sibirien. — „Viel, viel Leid kam auf meinen Theil", fügte sie kopfschüttelnd hinzu, — „was werde ich wohl noch erleben! — Gutes wohl Nichts, sagt mir das Vorgefühl."

Da erinnerte ich mich, wie die Alte so manches Mal unsern dreisten demagogischen Unterhaltungen zugehört, wie sie dann — erblassend und leise seufzend — sich in's andere Zimmer entfernt hatte und lange darnach stumm geblieben war.

— „Sie und Ihre Freunde, fuhr sie fort, gehen auf sicherem Wege Ihrem Unglück entgegen. Sie werden Wadä, sich selbst und Alle in den Abgrund stürzen. Ich liebe Sie ja nicht weniger als meinen Sohn." — Dabei rollten die Thränen auf ihre magern Wangen.

Ich schwieg. Sie nahm meine Hand und sagte, indem sie sich zu lächeln bemühte: „Zürnen Sie nicht, meine Nerven sind erschüttert, aber ich

verstehe Alles. — Gehen Sie Ihren Weg, für Sie
giebt es keinen anderen — und wenn es auch einen
gäbe, so wären Sie Alle nicht, was Sie sind. Ich
weiß das Alles, kann aber meine Angst nicht überwinden, ich habe so viel Unglück ertragen, daß meine
Kräfte für ein neues nicht ausreichen. Aber davon
kein Wort an Wadä, es würde ihm Kummer machen, er würde mich überreden . . . . da kommt er,"
fügte die Alte hinzu, indem sie eilig ihre Thränen
abwischte und mich noch einmal durch ein Zeichen
bat zu schweigen.

Arme Mutter! hochherziges, edles Weib! —
Kömmt das nicht dem „qu'il mourût!" von Cor-
neille gleich?

Ihre Prophezeiung ward bald erfüllt. Zum
Glück zog das erste Gewitter ihrem Hause vorüber,
doch viel Furcht und Kummer hat sie dabei aus-
gestanden.

—————

— „Wie, man hat ihn arretirt?" fragte ich,
indem ich aus dem Bett sprang und mir an den Kopf
faßte, um zu sehen, ob ich träume oder nicht.

— „Der Polizeimeister kam in der Nacht
angefahren, zwei Stunden nachdem Sie uns

1*

verlaffen hatten, mit einem Polizei - Officier und
mehreren Kofaken, fammelte alle Papiere und führte
unfern Herrn fort."

Diefe Antwort kam vom Kammerdiener N.'s.
Ich konnte nicht begreifen, was die Polizei für einen Grund ausgedacht hatte. Die letzte Zeit über
war Alles still gewefen. N. war erft am Vorabend
angekommen .. . . und warum denn ihn arretiren
und mich nicht?

Ich konnte mich nicht damit begnügen, die
Hände fromm zu falten. Ich kleidete mich an und
ging ohne ein beftimmtes Ziel aus dem Haufe.
Dies war das erfte Unglück, das mich traf. Ich
liebte N. leidenfchaftlich, wie man felten, auch
felbft in Jugendjahren, liebt. Mir lag es fo fchwer
auf der Seele. Das Gefühl, daß ich nicht im Stande
fei, etwas zu thun, quälte mich.

Als ich mich auf den Straßen herumtrieb, erinnerte ich mich zuletzt eines Bekannten, deffen
Stellung in der Gefellfchaft ihm die Möglichkeit gab
zu erfahren, um was es fich denn eigentlich handle,
und der vielleicht fogar auch helfen konnte. Er
wohnte ungeheuer weit, in einem Landhaufe hinter
dem Woronzoff'fchen Felde. Ich ftieg in den erften
beften Miethwagen und eilte zu ihm. Es war gegen fieben Uhr Morgens.

Seit anderthalb Jahren waren wir mit W. bekannt. Er war in seiner Art ein Löwe in Moskau. In Paris erzogen, reich, gebildet, witzig, frei-
denkend und geistreich, gehörte er zur Zahl der am
14. (26.) December Verhafteten und wieder Frei-
gelassenen. Das Exil hatte er nicht gekostet, der
Ruhm aber war ihm geblieben. Er stand im
Staatsdienste und übte eine große Gewalt beim
General-Gouverneur aus. Der Fürst Galißin sah
gern Leute von freier Denkungsweise, zumal wenn
diese in gutem Französisch ausgedrückt wurde (in
der russischen Sprache war der Fürst nicht sehr stark).

W. war ungefähr zehn Jahre älter als wir
und gewann unsere Bewunderung durch seine praktischen Bemerkungen, seine Kenntniß der politischen
Angelegenheiten, seine schöne französische Redeweise
und seinen eifrigen Liberalismus. Er wußte so
Vieles, und mit einer außerordentlichen Genauigkeit, trug so angenehm, so geläufig vor; seine Meinungen waren so energisch, so decidirt; nie fehlte
es ihm an einer Antwort, einem Rath, einer Ent-
scheidung. Er las Alles — neue Romane, Tractät-
chen, Journale, Poesien, und außerdem beschäftigte
er sich viel mit Zoologie, schrieb Projecte für den
Fürsten und machte Pläne zu Kinderbüchern.

Sein Liberalismus war vom reinsten dreifarbi-

gen Waffer, von der Nüance der Linken zwischen
Mauguin und dem General Lamarque.

An den Wänden seines Cabinets sah man die
Portraits aller revolutionairen Celebritäten von
Hampden und Bailly bis Fieschi und Armand Car-
rel. Eine ganze Bibliothek verbotener Bücher befand sich unter diesem revolutionairen Altar. Ein
Skelett, einige ausgestopfte Vögel, getrocknete Am-
phibien und in Spiritus aufbewahrte Eingeweide
mischten den ernsten Anstrich des Studiums und
des Denkens in den allzu revolutionairen Charakter
seines Cabinets.

Wir sahen mit Neid auf seine Erfahrung und
Menschenkenntniß; wir fühlten uns unter dem Einfluß seiner fein ironischen Manier sich auszudrücken,
und er kam uns vor wie ein praktischer Revolutio-
nair, ein Staatsmann in spe.

Ich fand W. nicht zu Hause. Er war schon am
Abend zuvor in die Stadt zum Fürsten gefahren;
sein Kammerdiener meinte aber, er müßte ohne
Zweifel nach anderthalb Stunden zurück sein. Ich
blieb, um zu warten.

W.'s Landhaus war reizend. Das Cabinet,
in welchem ich auf ihn wartete, war groß, hoch und
im rez de chaussée gelegen, mit einer breiten
Thüre, die auf eine Terrasse und in den Garten

führte. Es war ein schwüler Tag. Aus dem Garten wehte Laub- und Blumen-Duft; die Kinder spielten vor dem Hause und lachten so vergnügt. Reichthum, Ueberfluß, helle Räume, Sonne und Schatten, Blumen und Rasen . . . . aber im Gefängniß! Da ist es eng, dunkel, erstickend. — Ob ich lange in düstere Betrachtungen vertieft saß, weiß ich nicht, als plötzlich der Kammerdiener, sehr aufgeregt, mich auf die Terrasse rief.

— „Was giebt es?" fragte ich.

— „Aber kommen Sie doch gefälligst, sehen Sie doch!" —

Ich wollte ihn nicht beleidigen, ging hinaus und stutzte. Ein ganzer Halbkreis Häuser loderte, als ob sie alle auf ein Mal angezündet worden seien. Mit einer unglaublichen Schnelligkeit griff das Feuer um sich.

Ich blieb auf der Terrasse stehen; der Anblick der Zerstörung und der wilden Kraft war mir eben recht. Der Kammerdiener betrachtete die Feuersbrunst mit einer Art von fieberhaftem Wohlgefallen und sprach für sich: „Prächtig greift es zu — da, dieses Haus da rechts, wird auch ganz bestimmt anbrennen, ganz bestimmt!"

Das Feuer hat in sich etwas Revolutionaires;

es spottet des Eigenthums, nivellirt die Stände. —
Das fühlte der Kammerdiener instinktmäßig.

Nach einer halben Stunde war der Horizont
mit rothem und, nach oben hin, grauschwarzem Rauche
bedeckt. An jenem Tage ward der Stadttheil Lefort
von den Flammen verzehrt. Das war der Anfang
jenes Mordbrennens, das fünf Monate lang dauerte
— wir werden dessen noch erwähnen.

Endlich kam W. Er war bei sehr guter Laune,
erzählte von der Feuersbrunst, an der er so eben
vorbei gefahren war, und indem er von allgemeinen Dingen redete, sagte er, sie sei angelegt, und
halb scherzend setzte er hinzu: „Ja, das erinnert
an Pugatscheff — Sie werden sehen, auch wir kommen nicht mit heiler Haut davon — auch uns wird
man auf die Folterbank spannen.‟

— „Ehe man uns auf die Folter bringt,
antwortete ich, ist es zu befürchten, daß man uns
in Ketten legt. Wissen Sie, daß N. diese Nacht
von der Polizei arretirt worden ist?‟

— „Von der Polizei? Was Sie sagen!‟

— „Ich bin deshalb zu Ihnen gekommen.
Man muß Etwas dabei thun. Fahren Sie zum Fürsten, erkunden Sie die Sache, erwirken Sie für mich
die Erlaubniß, ihn zu sehen.‟

Da ich keine Antwort erhielt, sah ich W. an. Doch an seiner Stelle schien sein ältester Bruder vor mir zu stehen. Sein Gesicht war entstellt, die Züge verzerrt, er stöhnte und jammerte.

— „Was ist Ihnen?"

— „Aber habe ich es Ihnen denn nicht gesagt, nicht oft genug wiederholt, wohin das führen würde! . . . . Ja, ja, das konnte man voraus sehen. — Ich bitte Sie! ich, der ich so unschuldig bin wie ein Kind, werde auch noch vielleicht dafür büßen müssen — Mit solchen Sachen spaßt man nicht — Ich weiß, was die Casematten zu sagen haben" —

— „Wollen Sie zum Fürsten fahren?"

— „Aber bedenken Sie doch, wozu denn das? Mein freundschaftlicher Rath ist, daß Sie sich ganz ruhig verhalten, daß von N. auch nicht die Rede sei, sonst steht es schlimm aus. Sie wissen nicht wie diese Sachen gefährlich sind. Ich wiederhole Ihnen aufrichtig, bleiben Sie aus der Geschichte; Sie mögen sich anstrengen, wie Sie wollen, dem N. werden Sie nicht helfen, sondern nur selbst in die Falle laufen. Da sehen Sie die Autokratie, — wo sind die Rechte, wo ist der Schutz? giebt's auch wirklich Advocaten, Richter?"

es spottet des Eigenthums, nivellirt die Stände. —
Das fühlte der Kammerdiener instinktmäßig.

Nach einer halben Stunde war der Horizont
mit rothem und, nach oben hin, grauschwarzem Rauche
bedeckt. An jenem Tage ward der Stadttheil Lefort
von den Flammen verzehrt. Das war der Anfang
jenes Mordbrennens, das fünf Monate lang dauerte
— wir werden dessen noch erwähnen.

Endlich kam W. Er war bei sehr guter Laune,
erzählte von der Feuersbrunst, an der er so eben
vorbei gefahren war, und indem er von allgemeinen Dingen redete, sagte er, sie sei angelegt, und
halb scherzend setzte er hinzu: „Ja, das erinnert
an Pugatscheff — Sie werden sehen, auch wir kommen nicht mit heiler Haut davon — auch uns wird
man auf die Folterbank spannen."

— „Ehe man uns auf die Folter bringt,
antwortete ich, ist es zu befürchten, daß man uns
in Ketten legt. Wissen Sie, daß N. diese Nacht
von der Polizei arretirt worden ist?"

— „Von der Polizei? Was Sie sagen!"

— „Ich bin deshalb zu Ihnen gekommen.
Man muß Etwas dabei thun. Fahren Sie zum Fürsten, erkunden Sie die Sache, erwirken Sie für mich
die Erlaubniß, ihn zu sehen."

Da ich keine Antwort erhielt, sah ich W. an. Doch an seiner Stelle schien sein ältester Bruder vor mir zu stehen. Sein Gesicht war entstellt, die Züge verzerrt, er stöhnte und jammerte.

— „Was ist Ihnen?“

— „Aber habe ich es Ihnen denn nicht gesagt, nicht oft genug wiederholt, wohin das führen würde! . . . . Ja, ja, das konnte man voraus sehen. — Ich bitte Sie! ich, der ich so unschuldig bin wie ein Kind, werde auch noch vielleicht dafür büßen müssen — Mit solchen Sachen spaßt man nicht — Ich weiß, was die Casematten zu sagen haben“ —

— „Wollen Sie zum Fürsten fahren?“

— „Aber bedenken Sie doch, wozu denn das? Mein freundschaftlicher Rath ist, daß Sie sich ganz ruhig verhalten, daß von N. auch nicht die Rede sei, sonst steht es schlimm aus. Sie wissen nicht wie diese Sachen gefährlich sind. Ich wiederhole Ihnen aufrichtig, bleiben Sie aus der Geschichte; Sie mögen sich anstrengen, wie Sie wollen, dem N. werden Sie nicht helfen, sondern nur selbst in die Falle laufen. Da sehen Sie die Autokratie, — wo sind die Rechte, wo ist der Schutz? giebt's auch wirklich Advocaten, Richter?“

Für dieses Mal war ich nicht aufgelegt, seine frivolen Meinungen, sein scharfes Urtheil anzuhören. Ich nahm meinen Hut und fuhr weg.

Zu Hause fand ich Alles in der größten Unordnung. Schon war mein Vater gegen mich erzürnt wegen N.'s Verhaftung, schon war der Senator in höchst eigener Person da, wühlte in meinen Büchern, legte die zur Seite, die ihm gefährlich schienen und war unzufrieden.

Auf dem Tisch fand ich einen Zettel vom General Orloff; er lud mich zu Mittag ein. Ach, sollte er nicht vielleicht etwas thun können? — Der Versuch bei W. war mir zwar eine Lehre, und doch — noch ein Versuch konnte ja keinen Schaden bringen.

Michaïl Fädorowitsch Orloff gehörte zur Zahl der Gründer des berühmten Wohlfahrtsbundes, und wenn er nicht in Sibirien war, so hatte er das keineswegs sich selbst zu verdanken, sondern seinem Bruder, für welchen Nikolaus eine ganz besondere Freundschaft hegte, und der der Erste war, der am 14. December mit seiner reitenden Garde zur Vertheidigung des Winter-Palais eilte. Mich. Orloff wurde auf seine Dörfer geschickt, und nach Verlauf einiger Jahre wurde ihm die Erlaubniß ertheilt, sich in Moskau anzusiedeln. Während seines zurückgezogenen Lebens im Dorfe beschäftigte er sich mit Chemie

und politischer Oekonomie. Als ich ihm zum ersten ·
Mal begegnete, unterhielt er sich mit mir über die
neue chemische Nomenclatur.

Bei allen energischen Personen, die erst in späteren Jahren sich irgend einer Wissenschaft widmen, entsteht ein ganz besonderes Bedürfniß, die Möbeln umzustellen und Alles nach eigenem Kopf einzurichten. Seine Nomenclatur war bei weitem complicirter als die allgemein angenommene französische. Ich hatte Lust seine Aufmerksamkeit zu fesseln und fing an, ihm in der Art einer captatio benevolentiae zu beweisen, daß seine Nomenclatur zwar gut, daß aber die alte besser sei. — Orloff stritt einige Augenblicke, und dann gab er nach. — Meine Coquetterie gelang mir, und seitdem waren wir mit ihm in sehr häufigem Verkehr. Er sah in mir eine aufgehende Fähigkeit, ich in ihm einen Veteranen unserer Meinungen, einen Freund unserer Helden, eine edle Erscheinung in unserm Leben.

Der arme Orloff glich einem Löwen im Käfig. An allen Seiten stieß er an das eiserne Gitter. Nirgends sah er die Möglichkeit, seine Sehnsucht nach Wirksamkeit zu stillen, und diese Qual verzehrte ihn.

Nach dem Falle Frankreichs bin ich mehr als ein Mal Leuten dieser Art begegnet, Leuten nämlich, deren unwiderstehliches Bedürfniß nach politischer

.Thätigkeit ihnen das Leben in den vier Wänden ihrer
Stube, oder gar das Familienleben, läftig machte.
Diefe Leute verftehen nicht — allein zu leben, die
Einfamkeit giebt ihnen den Spleen, fie zanken fich
mit ihren beften Freunden, fehen überall gegen fie
gerichtete Intriguen, und fangen dann zulezt auch
felbft an zu intriguiren, um Jemanden zu fangen
und fo etwas zu entdecken, das nie exiftirt hat. —
Diefe Leute bedürfen einer Scene und der Zu-
fchauer; auf der Scene find fie wirklich Helden und
werden Unglaubliches ertragen. Sie brauchen Lärm,
Donner, Spektakel, fie wollen Reden halten, die
Widerlegungen ihrer Feinde hören, ihnen ift die
fieberhafte Aufregung des Kampfes und der Gefahr ein unumgängliches Bedürfniß; — ohne diefen
Sporn verfinken fie in Schwermuth und Trübfinn,
fie verfallen, verwelken, möchten fich zerreißen und
begehen dann Fehler. — So ift Ledru Rollin, der
auch, à propos, durch fein Aeußeres dem Orloff
ähnlich ift — befonders feit er feinen Stuzbart
wachfen läßt. — —

Er fah außerordentlich impofant aus. Eine
hohe edle Geftalt, fchöne männliche Züge, alles in
harmonifchen Proportionen, — gaben feinem Aeußeren einen unwiderftehlichen Reiz. Er war ein
Seitenftück zu A. P. Jermoloff, deffen gefürchte

viereckige Stirn, überdacht von einer Maffe grauer
Haare, und deffen durchdringender Blick ihm die
Schönheit eines auf dem Schlachtfelde altgewordenen
Kriegers gaben, dieselbe Schönheit, durch die Ma-
zeppa die Gunst der Marie Kotschubei gewann.

Orloff wußte vor Langweile nicht, was er anfangen sollte. Was versuchte er nicht Alles! Bald
legte er eine Glas-Fabrik an, in welcher er ge-
malte Fensterscheiben im Geschmack des Mittelal-
ters verfertigen ließ; bald machte er sich an's
Schreiben — „über den Credit" —; nichts von
dem Allem sagte ihm eigentlich zu. Doch war kein
anderer Ausweg. Der Löwe, der nicht einmal seiner Zunge freien Zügel schießen laffen durfte, war
verdammt müßig umherzustreifen. — Es war trau-
rig mit anzusehen, welche Mühe er sich gab, um
aus sich einen Gelehrten, einen Theoretiker zu machen. — Er hatte einen glänzenden, klaren, durchaus aber keinen speculativen Geist; und daher
verwickelte er sich in allerlei neu ausgedachte Sy-
steme altbekannter Gegenstände in der Art der che-
mischen Nomenclatur. Alles Abstracte mißlang ihm
gänzlich, und troß seiner tiefen Erbitterung über
dies Mißlingen schlug er sich doch mit der Meta-
physik herum. — Unvorsichtig und rückhaltslos im
Reden gab er sich unaufhörlich Blößen; hingeriffen

vom erſten Eindruck, immer edel und kühn, kam
ihm plötzlich ſeine Lage in den Sinn, und dann
kehrte er auf halbem Wege um. Dieſe politiſchen
Manöver gelangen ihm eben ſo wenig wie die Nomenclatur und die Metaphyſik; und wenn er einem
Fehler abhelfen wollte, verfiel er immer in zwei bis
drei andere. Deßhalb hielt man ſich über ihn auf;
die Leute urtheilen ſo oberflächlich, machen mehr
Weſen aus einem Worte als aus einer That und
legen den einzelnen Fehlern mehr Gewicht bei als
dem Geſammt-Charakter. Wie kann man hier, vom
ſtrengen Geſichtspunkte eines Regulus aus, die Menſchen beſchuldigen! — Die Beſchuldigung kann nur
auf die bedauernswerthe Mitte der Geſellſchaft fallen, in welcher jedes edle Gefühl nur als Contre-
bande, im Verſteck, hinter verſchloſſenen Thüren ſich
Luft machen kann, und wo, hat man unverſehens
ein Wort laut geſagt, man gleich denkt: kömmt
wohl bald die Polizei . . . .

Es war ein großes Diner. Ich kam neben dem
General Raievsky, dem Schwager Orloff's, zu ſitzen.
Raievsky war auch ſeit dem 14. December in Ungnade, der Sohn des berühmten Nicolaus Raievsky,
focht er als vierzehnjähriger Knabe ſammt ſeinem
Bruder bei Borodino an der Seite des Vaters;
ſpäter ſtarb er am Kaukaſus an ſeinen Wunden. —

Ich sprach ihm von N. und fragte: „Könnte wohl — würde wohl Orloff Etwas in der Sache thun wollen?" —

Eine Wolke zog über Raïevsky's Stirn, aber das war nicht ein Ausdruck der kleinlichen Sucht der Selbsterhaltung, den ich am Morgen gesehen hatte; es war der Ausdruck eines gemischten Gefühls schmerzvoller Erinnerungen und bittern Abscheus

— „Hier handelt es sich nicht um Wollen oder Nicht-Wollen, antwortete er, doch zweifele ich, ob Orloff Etwas thun kann. Gehen Sie nach Mittag in's Cabinet, ich werde ihn zu Ihnen führen. — So ist also auch an Sie die Reihe gekommen?" sagte er nach einigem Stillschweigen, — „dieser Strudel wird Alles mit sich reißen."

Nachdem Orloff mich ausgefragt hatte, schrieb er einen Brief an den Fürsten Galitzin und bat ihn um eine Zusammenkunft. — Der Fürst, sagte er, ist ein ehrlicher Mensch, und sollte er Nichts thun können, so wird er wenigstens die Wahrheit sagen.

Am anderen Tage fuhr ich hin, um die Antwort zu erfahren. Der Fürst Galitzin ließ sagen, daß N. auf Allerhöchsten Befehl arretirt sei, daß ein Untersuchungs-Comité ernannt wäre, daß der thatsächliche Grund zur Verhaftung — ein am 24. Juni stattgefundenes Trinkgelag sei, wo aufwieg-

lerifche Lieder gefungen worden wären. — Ich be=
griff davon Nichts. An diefem Tage war das Na=
mensfeft meines Vaters, ich war den ganzen Tag
zu Haufe und N. bei uns gewefen.

Mit fchwerem Herzen trennte ich mich von Or=
loff. Auch ihm war nicht wohl; als ich ihm die
Hand reichte, ftand er auf, umarmte mich, drückte
mich feft an feine breite Bruft und küßte mich, —
als ob er fühlte, daß wir uns auf lange trennten.

Seit jener Zeit habe ich ihn nur ein Mal wie=
dergefehen — fechs Jahre nachher; er war im Er=
löfchen, ich erftaunte über den krankhaften, tieffin=
nigen Ausdruck feiner fcharf gewordenen Züge. Er
war niedergedrückt, er fühlte feinen Verfall, kannte
den fchlechten Stand feiner Angelegenheiten, und
fah kein Ende. — Ungefähr zwei Monate nachher
ftarb er — das Blut war in feinen Adern geronnen.

. . . . In Luzern ift ein wunderfchönes Mo=
nument in den rauhen Fels von Thorwaldfen ge=
hauen. Es ift ein fterbender Löwe, der in einer
Höhle liegt; er ift tödtlich verwundet, das Blut
ftrömt aus der Wunde, in der man noch die Spitze
des Pfeiles fteht; fein herrlicher Kopf ruht auf fei=
ner Klaue; er ftöhnt, fein Blick drückt unausfprech=
liche Schmerzen aus — rund herum ift es wüft,
unten ift ein Teich; das Alles ift umdrängt von

Bergen, verwachsen mit Bäumen und Gras, so daß die Vorübergehenden kaum ahnen, daß hier das königliche Thier stirbt.

Einst als ich lange auf einer Bank vor diesem Steinbilde des Leidens saß, erinnerte ich mich meines letzten Besuchs bei Orloff . . . .

Als ich mich von Orloff nach Hause begab, kam ich an der Wohnung des Ober-Polizeimeisters vorbei. Mir kam die Idee, ihn offenherzig zu bitten, N. sehen zu dürfen.

Bis jetzt war ich noch nie bei einer polizeilichen Person gewesen. Man ließ mich lange warten, endlich erschien der Ober-Polizeimeister.

Meine Frage setzte ihn in Erstaunen.

— „Was für ein Beweggrund treibt Sie, diese Erlaubniß nachzusuchen?"

— „N. ist mein Verwandter."

— „Ihr Verwandter?" — fragte er und starrte mir in die Augen.

Ich antwortete nicht, aber ich starrte seiner Excellenz ebenfalls in die Augen.

— „Ich kann es Ihnen nicht gestatten," sagte er, „Ihr Verwandter ist au secret. Ich bedauere sehr."

Die Ungewißheit, die Unthätigkeit tödteten mich. Fast alle Freunde waren abwesend; es war nicht möglich, Etwas zu erfahren. — Mich schien die Po-

Herzen's Verbannung. 2

lizei vergeſſen oder überſehen zu haben. — Es war
ſehr langweilig. —

Aber als der ganze Himmel von grauen Wol-
ken überzogen ſchien und die langen Nächte des
Exils und Gefängniſſes ſich näherten, da fiel auf
mich ein heller Strahl.

Einige Worte tiefer Sympathie von einem ſieb-
zehnjährigen Mädchen, das ich bisher für ein Kind
gehalten hatte, richteten mich auf.

Zum erſten Mal in meiner Erzählung kommt
eine weibliche Geſtalt vor . . . . nur Eine weibliche Erſcheinung kommt in meinem ganzen Leben
vor. — Wie Schattenbilder iſt vor ihr alles Andere verſchwunden; — ſelbſt alle reinen, jugendli-
chen Frühlings-Wallungen der Seele ſind vorüber-
gegangen wie Nebel und wie bleiche Traumbilder;
— neue, andere ſind nicht erſchienen.

Wir begegneten uns auf dem Gottesacker. Sie
ſtand angelehnt am Denkmal eines Grabes und ſprach
von N. — Und meine Wehmuth beſänftigte ſich.

— Auf morgen, ſagte ſie und reichte mir die Hand.
Sie lächelte mit Thränen in den Augen.

— Auf morgen, — antwortete ich . . . . und lange
folgten meine Blicke ihrer ſich entfernenden Geſtalt.

Es war der 19. Juli 1834.

II.

Der Arreſt. — Ein Geſchworener. — Die Kanzlei des
Polizeihauſes. — Das patriarchaliſche Gericht.

———

. . . . Auf morgen! wiederholte ich beim Ein-
ſchlafen . . . mir war es ungewöhnlich leicht und
wohl um's Herz.

Gegen zwei Uhr Nachts weckte mich der Kammerdiener meines Vaters. Er war nur halb an-
gekleidet und ängſtlich.

— „Ein Officier verlangt Sie zu ſprechen.“

— „Was für ein Officier?“

— „Ich weiß nicht.“

— „Nun, dann weiß ich es,“ — ſagte ich ihm,
indem ich meinen Schlafrock über die Schultern warf.

In der Thüre des Saals ſtand eine Figur in
einen Mantel eingehüllt; der weiße Federbuſch ließ

2*

den Officier erkennen, im Hintergrunde standen noch allerlei Figuren — ich erkannte eine Kosakenmütze.

Es war der Polizeimeister Müller mit seiner Eskorte.

Er sagte mir, daß er auf einen schriftlichen Befehl vom General-Gouverneur, den er in der Hand hielt, meine Papiere untersuchen müsse. — Man brachte Licht. Der Polizeimeister nahm meine Schlüssel; der Commissair und sein Gehülfe fingen an zu wühlen — in den Büchern, in der Wäsche, überall. Der Polizeimeister machte sich an die Papiere; ihm schien Alles verdächtig, er legte Alles bei Seite, und plötzlich kehrte er sich zu mir mit den Worten: — „Ich muß Sie bitten, sich unterdessen anzukleiden, Sie werden mit mir fahren."

— „Wohin?" fragte ich.

— „Auf das nächste Polizeiamt," antwortete er mit einem beruhigenden Ton.

— „Und von da?"

— „Weiter steht nichts im Befehl des General-Gouverneurs."

Ich kleidete mich an.

Unterdessen hatten die erschrockenen Diener meine Mutter aufgeweckt. Sie stürzte aus ihrem Schlafzimmer zu mir, wurde aber in der Thüre von einem Kosaken angehalten. Sie schrie laut auf;

ich fuhr zusammen und eilte zu ihr. Der Polizeimeister verließ die Papiere und folgte mir in den
Saal; er entschuldigte sich bei meiner Mutter, machte
ihr Platz, schalt den Kosaken, der gar keine Schuld
hatte, und kehrte zu den Papieren zurück.

Nachher kam mein Vater. Er war blaß, suchte
aber seine Rolle gefaßt durchzuführen. Die Scene
fing an mir peinlich zu werden. Meine Mutter saß
in einer Ecke und weinte. Der Alte sprach über
gleichgültige Dinge mit dem Polizeimeister, doch seine
Stimme zitterte. Ich fürchtete, dieses auf die
Länge nicht aushalten zu können und wollte dem
Commissair das Vergnügen nicht machen, mich wei-
nen zu sehen.

Ich zupfte ihn daher am Aermel: — „Kommen Sie!" — „Kommen Sie," sagte er mir sehr
zufrieden.

Mein Vater ging aus dem Zimmer und kam
nach einem Augenblick wieder; er brachte ein kleines
Heiligenbild, hing es mir um den Hals und sagte,
daß sein sterbender Vater ihn damit gesegnet habe.
Ich war gerührt. Dieses religiöse Geschenk
zeigte mir den Grad der Angst und der Seelen-
erschütterung des Alten. Ich kniete nieder, als er
es mir umhing; er hob mich auf, umarmte und
segnete mich.

Das Heiligenbild stellte den Kopf Johannes des Täufers auf einer Schüssel vor. — Was wollte das sagen? — ein Beispiel, eine Warnung, oder eine Prophezeiung? — ich weiß nicht, aber die Bedeutung des Bildes fiel mir auf.

Meine Mutter war fast bewußtlos. — Die ganze Dienerschaft des Hauses begleitete mich die Treppe hinab, umringte mich, küßte mir die Hände, — es war, als wenn ich, ein Lebendiger, schon meiner Beerdigung beiwohnte; der Polizeimeister runzelte die Stirn und beschleunigte unsere Abfahrt.

Als wir aus der Thür kamen, sammelte er sein Heer; mit ihm waren vier Kosaken, zwei Commissaire und zwei Polizeidiener.

— „Erlauben Sie mir nach Hause zu gehn?" fragte ein Mensch mit einem Barte, der vor der Thüre saß, den Polizeimeister. — „Geh", — antwortete Müller. — — „Was ist das für ein Mensch?" fragte ich, indem ich in die Droschke stieg. — „Das ist der Geschworene, — Sie wissen doch, daß ohne einen solchen die Polizei nicht in ein Haus gehen kann!"

— „Und darum haben Sie ihn hinter der Thüre gelassen?"

— „Eine bloße Formalität — ganz umsonst hat

man den Menschen am Schlafen gehindert", bemerkte
Müller.

Wir fuhren ab, begleitet von zwei Kosaken zu
Pferde.

Auf der Polizei war für mich kein besonderes
Zimmer. Der Polizeimeister befahl, daß man mich
bis zum Morgen in der Kanzlei laffen follte. Er
führte mich selbst dahin, warf sich auf einen Seffel,
gähnte und murmelte: — „Berfluchter Dienst! seit
drei Uhr auf den Beinen wie ein Postpferd — und
jetzt mich noch mit Ihnen geschleppt, bis es heller
Tag ist. — Es geht schon, glaube ich, auf vier,
und um neun muß ich mit dem Rapport fertig
sein. — — Gute Nacht!" — sagte er nach einigen
Minuten und ging fort. —

Der Polizeidiener riegelte mich ein und bemerkte, wenn ich Etwas nöthig hätte, solle ich nur
an die Thüre klopfen.

Ich öffnete das Fenster. Es tagte; schon
wehte Morgenluft. Ich bat den Unterofficier um
Waffer und trank einen ganzen Krug aus. An
Schlafen war nicht zu denken. Uebrigens war Nichts
da, worauf ich mich legen konnte, denn außer einigen schmutzigen ledernen Stühlen und einem Lehn-
feffel befand sich in der Kanzlei nur noch ein großer Tisch mit Papieren bedeckt, und in einer Ecke

ein kleiner Tisch, noch mehr beladen. Die erbärm-
liche Nachtlampe konnte das Zimmer nicht erleuch-
ten, sondern warf nur einen schwankenden Licht-
streifen an die Decke, der immer blässer und blässer
vor dem Tageslicht wurde.

Ich setzte mich an die Stelle des Ober-Com-
missairs und nahm das nächstliegende Papier vom
Tisch; — es war eine Erlaubnißkarte zur Beerdigung des leibeigenen Hausdieners des Fürsten Ga-
garin, dabei ein medicinisches Zeugniß, daß er nach
allen Regeln der Wissenschaft gestorben war. Ich
nahm ein anderes Papier, — es war ein polizei-
liches Statut. Es hieß darin: „Jeder Verhaftete
hat das Recht, nach Verlauf von drei Tagen die
Ursache seiner Verhaftung zu erfahren oder frei gelassen zu werden." — Diesen Punkt merkte ich mir.

Nach einer halben Stunde sah ich durch's Fenster, wie unser Haushofmeister angefahren kam mit
einem Kissen, einer Decke und einem Mantel für
mich. Er fragte den Polizeidiener um Etwas, wahrscheinlich um die Erlaubniß, zu mir hineingelassen
zu werden; es war ein alter Graukopf, bei dem
ich schon als Kind zwei oder drei Kinder über die
Taufe gehalten hatte. — Kurz und grob wurde es
ihm vom Polizeidiener abgeschlagen. — Einer unserer Kutscher stand neben ihm; ich grüßte sie durch's

Fenster. Der Polizeidiener wurde hierüber ärgerlich und befahl ihnen, sich eiligst fortzupacken. Der Alte verbeugte sich gegen mich bis zur Erde, und weinte; der Kutscher nahm seinen Hut ab, trocknete seine Augen und peitschte das Pferd — die Droschke rasselte davon, und die Thränen strömten mir auf die Wangen hinab. Das Herz war übervoll. — Das waren die ersten und letzten Thränen während meiner ganzen Gefängnißperiode.

Gegen Morgen füllte sich die Kanzlei nach und nach mit Menschen. Erst kam der Schreiber, der vom Abend vorher noch betrunken war. Dieses roth-haarige, schwindsüchtige, mit Ausschlag bedeckte Ge-schöpf stellte die personificirte thierische Lüderlichkeit dar. Er hatte einen Frack an; dieser Frack war von ziegelrother Farbe, schlecht genäht und glänzte von Schmutz an den Ellbogen. — Ihm folgte ein anderer in einem Unterofficiers-Mantel. Dieser hatte sehr freche Manieren und wandte sich sogleich zu mir mit der Frage:

— „Ist es Ihnen im Theater passirt?"

— „Man hat mich zu Hause arretirt."

— „Födor Ivanitsch selbst?"

— „Wer ist das, Födor Ivanitsch?"

— „Der Obrist Müller, zu dienen."

— „Ja, er selbst."

— „Oh, ich verstehe!" — Er machte dem Roth-
haarigen ein Zeichen, der aber gar keine Theilnahme
äußerte. Das Gespräch hörte auf, denn als der
Cantonist sah, daß ich weder wegen Trunkenheit,
noch wegen Lärm arretirt worden war, verlor er
alles Interesse für mich, oder vielleicht war er bang,
sich mit einem gefährlichen Arrestaten einzulassen.

Nachher kamen noch allerlei Commissaire, die
sich schlaftrunken die Augen rieben. Zuletzt erschie-
nen Leute mit Petitionen und Klagschriften.

Die Wirthin einer zweideutigen Anstalt beklagte
sich über einen Bierhändler, daß er sie in seiner
Bude öffentlich beleidigt habe und zumal durch solche
Ausdrücke, die sie, als Frau, in Gegenwart ihrer
Vorgesetzten nicht aussprechen könnte. Der Krämer schwor, solche Worte nie gebraucht zu haben.
Die Frau beeidigte, daß er diese Ausdrücke zu wiederholten Malen ausgesprochen habe und zwar sehr
laut; und sie fügte noch hinzu, er habe gegen sie
die Hand aufgehoben, so daß, wenn sie ihm nicht
ausgewichen wäre, ihr Kopf in Stücke zerschlagen
sein würde. Der Krämer antwortete, daß sie ihm
erstens ihre Schuld nicht bezahlt, zweitens ihn in
seiner eigenen Bude beschimpft habe, und das Alles
sei noch wenig, sie habe ihm gedroht, ihn von
ihren Parteigängern zu Tode prügeln zu lassen.

Dieses lange, schmutzige Weib mit welken Augen schrie mit einer durchdringenden, kreischenden Stimme. Der Krämer operirte mehr durch mimische Bewegungen als durch Worte.

Der Polizei-Salomon, anstatt zu richten, schalt beide auf das Fürchterlichste: — „Von zu vielem Fett werden die Hunde unbändig", sagte er, — „solche Bestien wie ihr sollten sich lieber ruhig verhalten, zumal da wir durch die Finger sehen. Sieh' mal, große Wichtigkeit! Da haben sie sich durchgeschimpft, und gleich darauf kommen sie, die Vorgesetzten zu bemühen. Und Sie, was Sie wohl für eine Dame sind! — als ob es Ihnen zum ersten Mal vorkäme, durchgeschimpft zu sein. Sie geben sich mit so einem Handwerk ab, daß man Sie nicht nennen kann, ohne dadurch etwas Schimpfliches auszusprechen." — Der Krämer rieb sich die Hände vor Vergnügen, und seine Miene drückte innigste Zufriedenheit aus. Doch alsbald überfiel der Commissair auch ihn: „Und du, Halunke, was bellst du denn in deiner Bude wie ein Hund? darfst noch Andere schimpfen und gar die Faust aufheben! — willst du etwa „ungebrannte Holzasche"*) kosten — „eingerieben bis es blau wird"? —

---

*) Dieser plastische Ausdruck ist dem berühmten

Diese Scene hatte für mich allen Reiz der Neuheit und ist mir auf immer im Gedächtniß geblieben; ich sah hier den ersten russischen patriarchalischen Proceß.

Die Wirthin der zweideutigen Anstalt sammt dem Krämer setzten ihr Geheul fort, bis endlich der Ober-Commissair hereintrat. Dieser, ohne zu fragen, warum diese Leute hier seien, schrie sie an mit einer noch raueren Stimme: — „Fort von hier! hinaus! — was glaubt Ihr denn, daß dies für ein Ort ist? ein Bordell oder eine Schenke?" — Als das Gesindel fort war, wandte er sich zum Commissair: — „Wie, schämen Sie sich nicht, so Etwas zuzulassen? wie oft habe ich's wiederholt? — Der Ort wird ja dadurch entehrt, und jenes Gesindel wird ja aus ihm ein Sodom und Gomorrha machen. Sie geben diesem Pack viel zu viel nach. — Was ist das für Einer?" — fragte er auf mich deutend.

„Ein Arrestat, den Födor Jvanitsch gebracht hat" — antwortete der Commissair, — „hier folgt auch ein Papier, Herr!"

Hrn. Tabbeus-Trieglaff entlehnt, welcher ihn in einer Rede über Pönitentiar-System im Berliner Parlament gebraucht hat.

Der Ober-Commissair las das Blatt durch, sah mich an, doch als er meinem festen unbeweglichen Blicke begegnete, den ich auf ihn mit dem Vorsatz richtete, ihm auf das erste Wort gut zu dienen, da sagte er: — „Verzeihen Sie."

Die Sache des Krämers mit dem Weibe kam noch ein Mal auf's Tapet. Sie verlangte einen Eid zu leisten; der Pfaffe erschien, — und, wie es scheint, haben Beide geschworen. Ich sah das Ende der Scene nicht; man führte mich zum Oberpolizeimeister — ich weiß nicht warum. Man sprach mit mir kein Wort. Dann führte man mich wieder auf die Polizei, wo für mich ein Zimmer, grade unter dem Wachtthurm, bereitet war. Der Polizeidiener bemerkte mir, daß, wenn ich zu essen wünsche, ich Etwas kaufen lassen müsse, denn die Kron-Ration wäre noch nicht ausgeliefert und würde es erst nach zwei oder drei Tagen werden, — und außerdem bestehe sie blos aus drei oder vier Silberkopeken, welche die vornehmen Arrestaten gewöhnlich nicht in Anspruch zu nehmen pflegten.

Es war schon Mittag, ich sank vor Müdigkeit auf einen schmutzigen Divan, der an der Wand stand, und schlief ein wie ein Todter. — Als ich wieder erwachte, war meine Seele beruhigt und gefaßt. In der letzten Zeit hatte die Ungewißheit über N. mich so sehr gequält, jetzt war auch an mich die Reihe gekommen, die Gefahr drohte nicht mehr von Weitem, sie gruppirte sich ringsum, das Gewitter war uns über dem Kopfe. Diese erste Verfolgung war unsere Einweihung.

III.

Unter dem Wachtthurm. — Der Lissaboner Commissair. — Die Mordbrenner.

Wenn ein Mensch nur etwas innern Gehalt hat, so gewöhnt er sich schnell an das Gefängniß= leben, an die Stille und an die vollkommene Frei= heit innerhalb seines Käfigs — keine Sorgen, keine Zerstreuungen!

Anfangs gab man keine Bücher; der Ober= Commissair versicherte, daß man auch von Hause keine bringen dürfe. Ich bat ihn, mir welche zu kaufen. — Allenfalls irgend ein Lehrbuch, antwor= tete er; — möchten Sie irgend eine Grammatik? — dann würde es sich wohl thun lassen; sonst muß man vom General Erlaubniß einholen. — Der Vorschlag, vor langer Weile Grammatik zu lesen, war höchst komisch und dennoch griff ich mit beiden

Händen zu und bat den Ober-Commissair, mir eine italienische Grammatik und ein Lexikon zu kaufen. — Ich hatte bei mir zwei rothe Banknoten. Davon gab ich ihm die eine, und sogleich schickte er den Commissair ab, die Bücher zu besorgen. Er trug ihm ebenfalls einen Brief von mir an den Oberpolizei-meister zur Besorgung auf, worin ich denselben, mich auf den von mir angemerkten Artikel berufend, ersuchte, mir den Grund meines Arrestes anzu-geben oder mich frei zu lassen.

Der Ober-Commissair, in dessen Gegenwart ich geschrieben hatte, wollte mich überreden, meinen Brief nicht abzusenden. — „Es ist umsonst", sagte er, — „bei Gott, Sie bemühen den General umsonst; — er wird nur sagen, daß Sie unruhiges Volk sind, und Sie ziehen dadurch noch mehr Unheil auf sich."

Am Abend kam der Commissair und sagte, der Oberpolizeimeister hätte befohlen, mir mündlich mit-zutheilen, daß ich die Ursache meines Arrests erfah-ren werde, wenn es an der Zeit sei. Alsdann zog er aus der Tasche eine fettige italienische Grammatik und fügte lächelnd hinzu: „Es hat sich so glücklich getroffen, daß hierbei auch ein Wörterbuch ist, das Lexikon wird also nicht nöthig sein". — Vom Gelde, das ich zurückbekommen mußte, war keine Rede. — Ich dachte dem Oberpolizeimeister von neuem zu

schreiben, doch — die Rolle eines Hampden en mi-
niature in einem russischen Gefängnisse schien mir
gar zu lächerlich.

Nach anderthalb Wochen — um zehn Uhr
Abends erschien ein kleiner, brünetter, pockennarbiger
Commissair mit dem Befehl, daß ich mich ankleiden
solle, um mich in die Untersuchungs-Commission zu
begeben.

Während ich mich ankleidete, fand ein komi-
scher und zugleich ärgerlicher Vorfall Statt. — Man
pflegte mir mein Mittagessen von Hause zu schicken;
der Diener gab es an den wachthabenden Commissair
ab, dieser schickte es durch einen Soldaten zu mir.
Auch Wein war erlaubt, eine halbe bis eine Flasche
täglich. Einer meiner Bekannten hatte diese Erlaubniß benutzt, um mir eine Flasche ausgezeichne-
ten Johannisberger zu schicken. Mir und dem
Soldaten war es gelungen, mit Hülfe zweier Nägel
den Pfropfen auszuziehen. Der aromatische Duft
entzückte schon von weitem. Mit diesem Wein
wollte ich mich drei bis vier Tage delektiren.

Man muß im Gefängniß gewesen sein, um zu
wissen, wie viel Kindisches im Menschen bleibt, und
wie viel Spaß Einem eine Flasche Wein oder ein
Streich, gegen den Wächter gespielt, machen kann. —

Herzen's Verbannung.   3

Der pockennarbige Commissair spürte meine Flasche
aus und fragte mich, ob ich ihm wohl erlaube, ein
wenig daraus zu trinken. Das verdroß mich, doch
ich antwortete: „mit dem größten Vergnügen." —
Ein Spitzglas war nicht bei der Hand; dieses
Monstrum nahm ein großes Bierglas, füllte es an
bis zum Rande und goß es sich die Gurgel hinab
mit Einem Schluck, ohne nur Athem zu holen. —
(Diese Art, Spiritus und Wein in sich einzugießen,
findet man nur bei den Russen und Polen, kein
Europäer versteht — so zu sagen — das Gläschen
zu schlucken.) — Der pockennarbige Commissair
wischte sich die Lippe mit seinem blauen, nach Ta-
back stinkenden Taschentuch ab, und um mir den
Verlust dieses Glases noch fühlbarer zu machen, be-
dankte er sich und sagte: „der Madeira ist nicht
übel." — Ich sah ihn mit einem Gefühle von Haß
an und freute mich, daß man ihm nicht die Kuh-
pocken eingeimpft, und daß die Natur ihrerseits
ihn mit den natürlichen nicht verschont hatte.

Dieser Weinkenner brachte mich in des Ober-
polizeimeisters Haus auf dem Twer'schen Boulevard,
führte mich in einen Saal und ließ mich allein.
Nach einer halben Stunde kam ein dicker Mensch
herein — mit einem gutmüthigen und trägen Ausdruck. Er warf sein Portefeuille auf einen Stuhl

und gab dem Gendarmen, der an der Thüre stand, einen Auftrag.

— „Sicher sind Sie hier", sagte er mir, „wegen N.'s und der anderen jungen Leute Sache?" — Ich bejahte.

— „Ich habe davon im Fluge gehört," fuhr er fort, — „eine sonderbare, unverständliche Sache."

— „Ich bin schon seit zwei Wochen Gefangener dieser Sache wegen, und nicht nur, daß ich nichts davon verstehe, sondern ich weiß geradezu Nichts."

— „Das ist gerade gut", sagte er, indem er mich starr ansah. — „Sie müssen auch Nichts wissen. — Verzeihen Sie mir, daß ich Ihnen einen Rath gebe: Sie sind jung, haben heißes Blut, könnten leicht aufbrausen — und dás wäre ein Unglück. Vergessen Sie also nicht, daß Sie gar keine Kenntniß von der Sache haben dürfen — das ist das einzige Rettungsmittel."

Ich sah ihn mit Verwunderung an. Seine Physiognomie sagte nichts Schlechtes; er errieth meinen Gedanken, lächelte und sagte: — „Ich bin selbst vor zwölf Jahren Student der Moskauer Universität gewesen."

Hierauf kam ein Beamter herein, der dicke Herr ertheilte ihm verschiedene Befehle und verließ dann das Zimmer, indem er mir freundlich zunickte

3*

und den Finger auf die Lippe drückte. — Ich bin
dem Unbekannten nie wieder begegnet, aber ich habe
die Richtigkeit seines Raths erfahren.

Alsdann kam der Polizeimeister — nicht Födor
Jvanitsch, — ein anderer, — und bat mich, in die
Commission zu kommen.

In einem großen, recht schönen Saal saßen
fünf Personen um einen Tisch, alle in Uniform,
außer einem verfallenen Greise. — Sie rauchten
Cigarren, unterhielten sich lustig, knöpften ihre Uni-
formen los und wälzten sich ungenirt in ihren
Lehnsesseln. — Der Oberpolizeimeister präsidirte, und
als ich hereintrat, wandte er sich zu einem Geschöpf,
das still und stumm in einer Ecke saß, mit den Worten: — „Vater, ist es Ihnen gefällig?" — Hier
erst sah ich, daß es ein alter Pfaffe mit grauem Bart
und violettem Gesicht war, der in der Ecke saß. —
Er schlummerte, wünschte nach Hause zu gehen, dachte
an andere Dinge, gähnte und bedeckte den Mund
mit der Hand. Mit einer zögernden, etwas singen-
den Stimme fing er an, mich zu ermahnen, sprach
über die Sünde, die Wahrheit vor solchen Personen zu verhehlen, die vom Kaiser eingesetzt seien,
und über die Nutzlosigkeit solcher Verhehlungen,
wenn man das allhörende Ohr Gottes in Betracht
nehme; er vergaß sogar nicht, sich auf die abge-

droschenen Bibelsprüche zu berufen: „es giebt keine
Gewalt außer von Gott" — und — „gebet dem
Cäsar was des Cäsars ist." Zum Schluß befahl er
mir, die heilige Schrift und das seligmachende
Kreuz zur Bekräftigung meines Gelübdes, die Wahrheit zu gestehen, zu küssen. Dieses Gelübbe aber
hatte ich nicht abgelegt, man hatte es sogar nicht
verlangt.

Als er geendigt hatte, wickelte er eiligst Kreuz
und Buch ein. Zinsky, der Oberpolizeimeister, sagte
ihm, er könne gehen, und dabei hob er sich kaum
— kaum vom Sessel, um ihn zu grüßen. Hierauf
wandte er sich zu mir und übersetzte mir die geistliche Rede in den Staatsdialekt: — „Ich will zu
den Worten des Geistlichen nur Eins hinzufügen,
sagte er, Sie haben nicht die Möglichkeit Etwas zu
leugnen, wenn Sie es selbst wollten" — und dabei
zeigte er mir eine ganze Menge Papiere, Briefe,
Portraits, die auf dem Tische mit Absicht aus-
gebreitet waren — „bloß ein aufrichtiges Geständ-
niß kann Ihr Schicksal erleichtern, und es hängt
von Ihnen ab, freigelassen oder nach Bobruisk oder
in den Kaukasus geschickt zu werden."

Die Fragen wurden schriftlich vorgelegt. Die
Naivität einiger von ihnen war merkwürdig: „Kennen
Sie nicht irgend eine geheime Gesellschaft? — Ge-

hörten Sie nicht zu irgend einer Gesellschaft, einer literarischen oder sonst einer? — Wer sind die Mitglieder? — Wo versammeln sie sich?" — Auf alle diese Fragen war es mir sehr leicht, mit einem Nein zu antworten.

— „Ich sehe, Sie wissen Nichts," sagte Zinsky, indem er meine Antworten durchlas. „Ich habe Sie gewarnt, Sie verschlimmern dadurch Ihre Lage."

Damit endigte das erste Verhör.

..... Acht Jahre später ward der andere Flügel dieses Hauses von einer Frau bewohnt, die in ihrer Jugend selbst sehr schön gewesen war und eine Schönheit zur Tochter hatte. Es war die Schwester des neuen Polizeimeisters.

Jedes Mal, wenn ich sie besuchte, ging ich an diesem Saale vorbei, wo Zinsky uns verhört hatte. Damals, und auch später noch, hing das Portrait Paul's an der Wand dieses Saals. Etwa deßhalb, um daran zu erinnern, wie tief der Mensch durch Zügellosigkeit und Mißbrauch seiner Gewalt sinken kann, oder um die Polizei zur Grausamkeit aufzumuntern? — Das weiß ich nicht; aber es war hier — es waren da die charakteristische Stutznase, die Runzeln im Gesicht, der Stock in der Hand des Despoten. Damals als Arrestat, später als Gast blieb ich jedesmal vor diesem Portrait stehen. — Der kleine Salon nebenan, wo über Alles ein Hauch weiblicher Grazie und Schönheit gebreitet war, schien sich in das Haus der Polizei und des Gerichts nur verirrt zu haben, und mir that es leid, eine so schön entwickelte Blume an der steinernen Wand eines Polizeihauses zu sehen. Die Unterhaltungen, die wir in einem kleinen Kreise, der sich bei den Damen versammelte, führten, waren voller Ironie und befremdeten das Ohr, das gewöhnt war, lauter Verhöre, Anklagen und Berichte über Haussuchungen in denselben Wänden zu hören, die uns jetzt vom Flüstern der Commissaire, vom Ein- und Ausgehn der Gefangenen, vom Klirren der Sporen und Säbel der Uralschen Kosaken trennten. — —

Nach einigen Wochen kam wieder der pockennarbige Commissair und führte mich von neuem zu Zinsky. Im Vorhause saßen und lagen mehrere Menschen in Ketten, von bewaffneten Soldaten umringt. Im ersten Zimmer waren auch mehrere Personen verschiedener Stände, ohne Ketten, aber streng bewacht. Das waren die Mordbrenner. — Zinsky war bei der Feuersbrunst; man mußte seine Rückkehr abwarten. Wir kamen um zehn Uhr Abends an, und um eins saß ich noch ganz ruhig in Ge-

fellschaft der Mordbrenner im Vorhause. Von ihnen
wurde bald der eine, bald der andere gerufen, —
die Polizeidiener liefen hin und her, — die Ketten
raffelten, — die Soldaten exercirten vor langer
Weile. Endlich kam Zinßly mit Asche und Ruß
bedeckt. Er lief eiligst in fein Cabinet. — Nach
einer halben Stunde ungefähr wurde mein Commiffair gerufen; er kam blaß zurück, fein Gesicht
war krampfhaft entstellt. Zinßly steckte den Kopf
aus der Thüre und sagte: — „Aber Sie, Mon-
fleur H., auf Sie hat die ganze Commiffion diesen
Abend gewartet; dieser Tölpel hat Sie hieher gebracht, während man Sie zum Fürsten Galizin forderte. Es thut mir sehr leid, daß Sie hier so
lange gewartet haben, es ist aber nicht meine
Schuld. Was soll man mit solchen Beamten anfangen? — ich glaube, er ist schon fünfzig Jahre
im Dienste und bleibt immer ein Esel." — „Nun,
packe er sich jetzt nach Hause!" sagte er dem Commiffair mit einer noch barscheren Stimme.

Während des ganzen Weges wiederholte der
Commiffair: — „Gott im Himmel! Welch' ein Unglück! Der Mensch ahndet nicht, träumt nicht, was
mit ihm vorgeht — Nun wird er mich zu Grunde
richten! Es wäre noch nichts, wenn man Sie nicht

beim Fürsten erwartet hätte, aber das war eine
Schande für ihn. — Gott, welch ein Unglück!"

Ich verzieh ihm den Rheinwein, und besonders
als er mir gestand, daß er jetzt weit mehr Furcht
hätte als einst bei Lissabon, wo er Gefahr lief zu
ertrinken. — Dieser letzte Umstand war mir so
unerwartet, daß mich das Lachen überkam.

— „Wie in aller Welt sind Sie in Lissabon
gewesen?" fragte ich.

Der Alte war vor fünfundzwanzig Jahren See-
officier gewesen. — Man kann nicht leugnen, daß
der Minister Recht hatte, indem er dem Capitain
Kopeikin (in Gogol's „Todten Seelen") versicherte, daß in Rußland kein Dienst unbelohnt
bleibt. Diesen Alten hatte das Schicksal in Lissabon gerettet, damit er hier nach einem vierzigjährigen Dienste von Zinsky wie ein Knabe aus-
gescholten werden sollte! — Und er war auch eigentlich nicht schuld. Die vom General-Gouverneur
ernannte Untersuchungscommission mißfiel dem Kaiser; er ließ eine neue bilden unter der Leitung des
Fürsten Sergius Galitzin. Diese Commission bestand aus dem Commandanten Staal, einem anderen Fürsten Galitzin, der ad hoc aus Petersburg
gesandt war, Zinsky, dem Gendarme-Obristen
Schubensky und dem früheren Auditor Oransky. —

In dem Befehl des Ober-Polizeimeisters war nicht gesagt, daß das Commissionslocal verlegt worden war. Daher sehr natürlich, daß der Lissaboner Commissair mich zu Zinsky gebracht hatte.

Auf dem Polizeihause, in welchem meine Ge- fängnißstube war, war auch großer Lärm. An diesem Abend war das Feuer an drei Stellen ausgebrochen, und dann hatte man zwei Mal aus der Commission geschickt, um zu erfahren, was mit mir geschehen, und ob ich nicht entflohen sei. Der arme Lissaboner bekam natürlicherweise noch seinen Theil Vorwürfe und Schelte vom Ober-Commissair, da dieser eben selbst auch etwas Schuld hatte, indem er nicht be- sonders gefragt, wohin ich geführt werden solle.— Auf einem Paar Stühle in einer Ecke der Kanzlei lag ein Mensch und stöhnte. Ich kehrte mich um und sah einen jungen Mann von schönem Aeußeren, gut gekleidet, der stark litt und Blut spie. Der Polizeiarzt rieth, ihn so früh als möglich Morgens in's Krankenhaus zu bringen.

Als mich der Polizeidiener wieder in mein Zimmer gebracht hatte, kundschaftete ich von ihm die Geschichte des Verwundeten aus. — Es war ein Garde-Officier en retraite, der eine Intrigue mit einem Kammermädchen hatte und sich gerade bei ihr befand, als das Haus zu brennen anfing. —

Die Mordbrenner hatten diese Zeit über einen fürchterlichen Schrecken verbreitet, und wirklich verging kein Tag, daß man nicht zwei oder drei Mal die Signal-Glocke hörte; aus meinem Fenster sah ich jede Nacht den Himmel vom Wiederschein der Flammen wie vom Morgentoth gefärbt. — Der Officier entsprang, um das Mädchen durch seine Gegenwart nicht zu compromittiren, über einen Zaun und versteckte sich in eine Scheune des benachbarten Hauses, um da einen günstigen Augenblick zur Rettung abzuwarten. Aber ein kleines Mädchen auf dem Hofe hatte ihn gesehen und sagte dem ersten herbeigeeilten Polizeidiener, daß einer der Mordbrenner sich hier in der Scheune versteckt habe. Sie stürzten hinein sammt einem Haufen Volks und triumphirend brachten sie den Officier heraus. Er wurde so unbarmherzig geprügelt und mißhandelt, daß er am folgenden Morgen starb.

Jetzt begann man die Verhafteten zu sortiren. Die eine Hälfte wurde freigelassen, die andere für verdächtig erklärt. Der Polizeimeister kam jeden Morgen, um sie zu verhören. Diese Verhöre dauerten drei bis vier Stunden und wurden oft mit Hieben und Ruthen begleitet. — Das Jammergeschrei und Gewinsel, das Klagen und Flehen der Weiber, sammt der scharfen, drohenden Stimme des Polizeimeisters und dem einförmigen Vorlesen des Schreibers drangen zu meinen Ohren. Das war entsetzlich, nicht zum Aushalten. Diese Töne verfolgten mich im Traum, ich erwachte und schauderte beim Gedanken, daß diese Unglücklichen mit blutigen zerfetzten Rücken einige Schritte von mir in Ketten auf Stroh lagen — und ohne Zweifel unschuldig.

Um sich einen Begriff vom russischen Gefängniß-, vom russischen Gerichts- und Polizei-Wesen zu machen, muß man Bauer, Hausknecht, Handwerker oder Bürger sein. Die politischen Gefangenen werden zwar streng gehalten, grausam bestraft, doch kann ihr Schicksal keineswegs mit dem der armen Bartmänner verglichen werden. Mit ihnen wird ohne Umstände verfahren, und wohin sollten sie sich wohl mit ihren Klagen wenden, wo sollen sie Gerechtigkeit finden! —

Die Unordnung, die Bestialität und Willkür des russischen Gerichts und der russischen Polizei sind solcher Art, daß der arme Mann weniger seine Strafe als den vorhergehenden Prozeß fürchtet, und mit Ungeduld den Augenblick, wo er nach Sibirien geschickt wird, als Erlösung erwartet; seine Qualen hören da auf, wo seine Strafe anfängt. Vergessen wir nicht, daß drei Viertel der auf bloßen Verdacht Verhafteten und vom Gericht Freigesprochenen dieselbe Pein wie die Schuldigen durchmachen müssen.

Peter III. hat die geheime Kanzlei und die Folter= kammer abgeschafft.

Catharina II. die Folter,

Alexander I. schaffte sie ein zweites Mal ab.

Die erzwungenen Antworten sind vor dem Ge= setz ungültig. Ein Beamter, der einen Angeklagten foltert, ist selbst der strengsten Strafe unterworfen.

Und trotzdem werden in ganz Rußland — von der Bering's Straße bis Tauroggen — Leute gefol= tert. — Wo es sich durch Prügel nicht thun läßt, da geschieht es durch andere Mittel — durch eine unerträgliche Hitze, durch Durst und salzige Speisen. So wurde Einer z. B. bei zehn Grad Kälte baar= fuß auf eine eiserne Diele gestellt; er wurde krank und starb später in einem Krankenhause, welches unter der Aufsicht des Fürsten M. stand, der selbst mit Entrüstung diesen Vorfall erzählte.

Die Vorgesetzten wissen das Alles, die Gou= verneure vertuschen, der regierende Senat sieht durch die Finger, die Minister schweigen, der Kaiser, die Synode, die Gutsbesitzer bis auf die Commissaire sind alle einig und stimmen überein mit Gogol's Seliphon:

„Und warum nicht den Bauer etwas prügeln,
„Man muß den Bauer bisweilen zügeln!" — —

Die zur Untersuchung der Sache der Mordbrenner ernannte Commission richtete, — d. h. prügelte, — sechs Monate nach einander, und — prügelte doch Nichts heraus. Der Kaiser ärgerte sich
und befahl, die Sache in drei Tagen zu beendigen.
Sie wurde es auch. Schuldige wurden natürlicherweise herbeigeschafft und zum Knut, zum Brandmarken und zur Zwangsarbeit verdammt. Aus allen
Häusern wurden die Hausknechte zusammengerufen,
um dieser gräßlichen Execution von „Mordbrennern"
beizuwohnen. Der Winter war schon herangerückt;
ich wurde in den Krutin'schen Casernen gefangen
gehalten. Ein Gendarmen-Rittmeister, ein guter
Alter, der bei der Execution gegenwärtig war, erzählte mir die näheren Umstände, die ich hier nieder-
schreibe. — Der erste zum Knut Verurtheilte wandte
sich zum Volk und sagte mit lauter Stimme, er sei
unschuldig und wisse nicht, was er unter dem Einfluß der Schmerzen gesprochen habe; — hiebei nahm
er sein Hemd ab und rief: „Rechtgläubige, seht!" —
Ein Geschrei des Entsetzens lief durch die Menge,
ein Rücken war nur Eine blaue streifige Wunde,
und auf diese Wunde sollte der Knut angewandt
werden! Das Flüstern und das düstere Aussehen

des versammelten Volkes bewogen die Polizei, sich
zu sputen; einige Scharfrichter ertheilten die gesetz-
liche Zahl Hiebe, andere brandmarkten, noch andere
ketteten den Verurtheilten die Füße zusammen, und
die Sache schien beendet. — Allein, die Scene hatte
die Einwohner so sehr überrascht, daß in allen Kreisen Moskau's davon gesprochen wurde. Der General-Gouverneur rapportirte es dem Kaiser. Der
Kaiser befahl, die Sache des gegen die Strafe prote-
stirenden Mordbrenners von Neuem zu untersuchen.
— Einige Monate später las ich in der Zeitung,
daß der Kaiser zweien unschuldig Bestraften die
Summe von zweihundert Rubel (Banko) für jeden
Hieb als Ersatz habe auszahlen und einen besonderen Paß geben lassen, in welchem ihre Unschuld
trotz dem Brandmarken bescheinigt wurde. Es war
der vermeintliche Mordbrenner, der zum Voll gere-
det hatte, und einer seiner Freunde.

Der Brand in Moskau im Jahre 1834, der
sich nach zehn Jahren in mehreren Provinzen wiederholte, ist ein Räthsel geblieben. Daß er angelegt ward, daran ist kein Zweifel. Ueberhaupt ist
bei uns das Feuer, „der rothe Hahn", eine sehr
volksthümliche Rache. Immerwährend hört man
von Feuersbrünsten; bald brennt ein herrschaftliches
Haus, bald ein Korn-Magazin ab. Der Grund

aber der häufigen Brände in Moskau im Jahre 1834
war Niemanden bekannt, am allerwenigsten der Commission.

Vor dem 22. August, dem Krönungstage, fand
man Zettel an mehreren Orten herumgestreut, worin den Einwohnern gemeldet wurde, daß sie sich
nicht um die Illumination zu kümmern hätten, daß
für die Erleuchtung auch ohnedem gesorgt werden
würde. — Das versetzte die furchtsame Moskauer
Obrigkeit in Angst und Unruhe. Vom Morgen an
war das Polizeihaus mit Soldaten angefüllt, auf
dem Hofe stand eine Eskadron Uhlanen, am Abend
sah man Patrouillen zu Pferde wie zu Fuß in allen
Straßen unaufhörlich circuliren. Im Exercierhause
war Artillerie bereit. Die Polizeimeister rannten
durch die Straßen hin und her mit Kosaken und
Gendarmen. Selbst der Fürst Galitzin ritt mit seinen Adjutanten durch die Stadt. — Dieses krie-
gerische Aussehen der bescheidenen Stadt Moskau
war ungewöhnlich und wirkte auf die Nerven. Ich
lag bis in die Nacht hinein am Fenster und betrachtete das Treiben auf dem Hofe. Die Uhlanen
hatten sich haufenweise um ihre Pferde gelagert,
andere bestiegen die ihrigen; die Officiere gingen
mit einer wichtigen Miene umher und warfen ver-
ächtliche Blicke auf die Polizeibeamten; die Platz-

Adjutanten kamen angeritten in ihren gelben Kragen, sahen besorgt aus und begaben sich fort, ohne Etwas ausgerichtet zu haben. Es fand diese Nacht keine Feuersbrunst Statt.

Bald darauf erschien der Kaiser selbst in Moskau. — Er war mit Allem und mit Jedem unzufrieden — mit der Untersuchungs-Commission, damit, daß man uns vor die öffentliche, und nicht vor die geheime Polizei gestellt hatte, daß die Mordbrenner noch nicht entdeckt waren. Mit Einem Worte, wir fühlten bald die allerhöchste Nähe.

IV.

Die Krutizkischen Casernen. — Erzählungen der
Gendarmen. — Officiere.

————

Drei Tage nach der Ankunft des Kaisers, spät
Abends, — diese Sachen macht man in der Dun-
kelheit ab, um das Publikum nicht zu beunruhigen —
brachte mir ein Polizeiofficier den Befehl, meine
Sachen zu sammeln und ihm zu folgen.

— „Wohin?" fragte ich.

— „Sie werden sehen", antwortete höflich und
klug der Polizeiofficier. — Es versteht sich, daß
ich die Unterhaltung nach einer solchen Antwort
nicht fortsetzte, meine Sachen nahm und ihm folgte.

Wir fuhren lange. Endlich, nach ungefähr anderthalb Stunden, kamen wir an dem Simonov-
Kloster vorbei und hielten vor einer schweren steinernen Pforte an, die von zwei Gendarmen mit

Karabinern bewacht wurde. Die Pforte führte in's ehemalige Krutizkische Kloster, das jetzt in eine Gendarmerie-Caserne verwandelt war.

Man brachte mich in eine nicht sehr große Kanzlei. Schreiber, Adjutanten, Officiere, alles war blau. Der wachhabende Officier, in voller Uniform und Pickelhaube, bat mich, ein wenig zu warten und forderte mich sogar auf, meine Pfeife, die ich in der Hand hielt, zu rauchen. Dann schrieb er die Quittung über den Empfang des Arrestanten, überlieferte dieselbe dem Commissair, ging hinaus und kehrte mit einem anderen Officier zurück, der mir sagte: „Ihr Zimmer ist fertig, — kommen Sie." Ein Gendarme leuchtete uns. Wir gingen die Treppe hinab, machten einige Schritte durch den Hof und traten dann durch eine kleine Thüre in einen langen Corridor, der von einer einzigen Laterne erleuchtet war und zu beiden Seiten kleine Thüren hatte. Eine von ihnen führte in eine kleine Wachtstube, hinter welcher sich ein kaltes, feuchtes, mit verpesteter Luft gefülltes kleines Zimmer befand, in welches der Officier mit Achselband mich einzutreten einlud, indem er auf französisch hinzufügte, er sei désolé d'être dans la nécessité, meine Taschen zu untersuchen, aber was sei dabei zu thun, die Pflicht des Militairdienstes fordere Gehorsam,

4*

u. f. w. — Nach dieser schönen Vorrede lehrte er
sich ganz einfach zum Gendarmen und zeigte auf
mich durch einen Blick. Der Gendarm steckte in
demselben Augenblicke eine unmäßig große rauhe
Faust in meine Tasche. Ich sagte dem wohlerzo-
genen Officier, daß diese gewaltigen Mittel durchaus überflüssig seien, daß ich selbst meine Taschen
umkehren würde; — übrigens — was könnten sie
wohl nach einer Gefangenschaft von sechs Wochen
enthalten?

— „Das kennen wir wohl,“ — sagte der Officier mit Achselband mit einem wohlzufriedenen Lächeln, — „wir kennen die Ordnung der Polizei-
abtheilungen!“

Der wachhabende Officier lächelte auch spitzfindig.

Doch dem Soldaten wurde befohlen nur auf-
zupassen, und ich leerte selbst meine Taschen aus.

— „Schütten Sie Ihren Tabak auf den Tisch,“
sagte der Officier, der désolé war.

In meinem Tabaksbeutel hatte ich eine Bleifeder und ein Federmesser in Papier eingewickelt.
Von Anfang an dachte ich daran, und indem ich
mit dem Officier sprach, spielte ich so lange mit
dem Beutel, bis mir das Messer in die Hand kam;
alsdann schüttete ich den Tabak ganz dreist auf
den Tisch, indem ich das Messer durch den Beutel

festhielt. Der Gendarme schüttete den Tabak wieder zurück in den Beutel. Mein Messer und meine Bleifeder waren gerettet. Das hätte für den Offizier mit dem Achselband eine Lehre dafür sein können, daß er auf die Polizeiabtheilung so stolz herabgesehen hatte.

Dieser Vorfall hatte mich in eine sehr gute Stimmung versetzt, und frohen Muthes begann ich mein neues Gebiet zu besehen.

Aus den vor dreihundert Jahren erbauten und halb in die Erde versunkenen Mönchszellen hatte man weltliche Zellen für politische Verbrecher eingerichtet. In der meinigen stand eine Bettstelle ohne Matratze, ein Stuhl und ein kleiner Tisch, darauf ein Wasserkrug und ein großer kupferner Leuchter mit einem dünnen brennenden Talglicht. Die feuchte Kälte machte meine Glieder zittern; der Offizier befahl, den Ofen zu heizen, und ging fort. — Der Soldat hatte versprochen, mir Stroh zu bringen. — Unterdessen legte ich mich auf das harte Bett mit meinem Mantel unter dem Kopf und zündete meine Pfeife an. Nach einigen Minuten bemerkte ich, daß die Decke der Zelle mit den bei uns sogenannten preußischen Schaben (blada germanica) bedeckt war. Sie hatten lange kein Licht gesehen und kamen von allen Seiten nach der erleuchteten Stelle heran-

gerannt, wimmelten umher, ſtießen aneinander, ſielen
auf den Tiſch, und liefen dann wie verrückt hin und
her am Tiſchrande. Ich habe die Schaben, ſo wie
überhaupt die ungebetenen Gäſte, nie lieb gehabt.
Dieſe Mitwohner ſchienen mir furchtbar eklig; was
war aber dabei zu thun! ich wollte doch nicht über
Schaben klagen, und — meine Nerven fanden ſich
darin. Uebrigens nach drei Tagen hatten ſie ſich
jenſeits der Wand zum Soldaten, bei dem es wär-
mer war, begeben; nur ab und zu kam die eine
und die andere zu mir hereingerannt, ſchnuffelte,
und eilte dann ſchneller zurück, um ſich zu wärmen.

Wie ſehr ich den Gendarmen auch gebeten
hatte, meinen Ofen nach der Heizung nicht zuzu-
machen, — er that es dennoch. Der daraus folgenden Hitze wegen fühlte ich mich ſehr unwohl,
der Kopf ſchwindelte mir, — ich wollte aufſtehen,
um den Soldaten zu rufen, ſtand auch wirklich auf,
aber dann verlor ich die Beſinnung. . .

Als ich wieder zu mir kam, lag ich auf der
Diele mit heftigen Kopfſchmerzen. Vor mir ſtand
ein alter grauköpfiger Gendarme mit gefalteten
Händen und betrachtete mich mit ausdrucksloſen
ſtarren Augen, ganz wie in gewiſſen Gruppen aus
Bronze der Hund die Schildkröte betrachtet.

— „Da haben Sie es mal dick gekriegt‟, ſagte

er, — „hier ist Meerrettig mit Salz und Kwas, — ich habe Ihnen schon davon zu riechen gegeben, jetzt trinken Sie."

Ich trank; er hob mich auf und legte mich auf's Bett. Mir war sehr übel. Das Fenster ließ sich nicht öffnen; der Soldat ging in die Kanzlei um zu fragen, ob er mich in die Luft auf den Hof bringen dürfte. Allein der wachhabende Officier ließ sagen, er könne es nicht auf seine Verantwortung nehmen, und weder der Obrist, noch der Adjutant seien gegenwärtig. — So mußte ich in dem dunstigen Zimmer bleiben.

In kurzer Zeit gewöhnte ich mich auch an die Krutizkischen Casernen, conjugirte italienische Verba und las allerlei. Anfangs wurden wir streng gehalten; um neun Uhr beim letzten Zapfen kam der Soldat, löschte das Licht und verschloß die Thüre. Von neun Uhr Abends bis acht Morgens hatte ich im Dunkeln zu sitzen. — Ich habe nie viel geschlafen, und zumal im Gefängniß, ohne Bewegung, war mir vier Stunden Schlaf mehr als genügend; welche Strafe also kein Licht zu haben! — Dazu kam noch das sich alle Viertelstunden wiederholende Geschrei der Wache, die mit lautem und lang gedehntem Tone auf beiden Seiten des Ganges ihr „Sluschai" (Wache!) rief.

Nach einigen Wochen erlaubte der Obrist Semönoff (ein Bruder der berühmten Schauspielerin),
daß das Wachgeschrei unterlassen ward; er erlaubte
uns auch ein Licht zu haben unter der Bedingung,
daß das Fenster, das niedriger als der Hof war,
keinen Vorhang habe, damit die Wache Alles sehen
könne, was beim Arrestanten vor sich gehe. — Später wurde uns vom Commandanten ein Tintenfaß
beschert, sammt der Erlaubniß, auf dem Hofe spazieren zu gehn. Das Papier wurde mit der Bedingung gegeben, daß die Blätter gezählt wurden
und alle unversehrt blieben. Das Spazierengehen
wurde ein Mal täglich, in Begleitung des wachha-
benden Officiers und eines Soldaten, auf dem Hofe,
der von einem Graben und einer Kette wachhaben-
der Gendarmen umgeben war, gestattet.

Das Leben floß gleichmäßig und still dahin,
und erhielt durch die militairische Einförmigkeit einen,
so zu sagen, mechanischen, regelrechten Charakter,
gleich der Cäsur im Vers. Des Morgens kochte
ich den Kaffee mit Hülfe des Gendarmen im Ofen;
um zehn Uhr erschien der wachhabende Officier und
brachte jedesmal mehrere Kubikfuß Kälte mit sich.
Er war in Pickelhaube, Mantel und Handschuhen,
hatte mächtig große Aufschläge an der Uniform und
rasselte mit dem Säbel. Um eins brachte der Gen-

darme eine schmutzige Serviette und eine Schaale
Suppe, die er am Rande hielt, so daß sein Dau-
men merklich reiner als die anderen Finger war.
Das Essen war erträglich, doch muß man nicht vergessen, daß es uns zwei Rubel Banko täglich kostete,
was im Verlauf von neun Monaten Einkerkerung
eine ziemlich bedeutende Summe für den Unvermö-
genden ausmachte. Der Vater eines Arrestanten
erklärte, er habe kein Geld; man erwiderte ihm
kaltblütig, daß ihm in dem Falle Abzüge von seiner Gage gemacht werden würden. Wahrscheinlich
hätte man ihn eingekerkert, wenn er keine Gage zu
bekommen gehabt hätte. — Hierbei muß ich noch
bemerken, daß der Obrist Semönoff aus dem Ordonnanzhause täglich 1 Rubel 50 Kopeken (Banko)
Krongeld für den Unterhalt eines jeden Arrestanten erhielt. Die Sache fing an, Lärm zu machen,
wurde aber vertuscht, indem die Platzadjutanten,
die von dem gestohlenen Gelde profitirten, die ganze
Gendarmerieabtheilung dadurch beschwichtigten, daß
sie den Leuten Billete zu den vorzüglichsten Vor-
stellungen im Theater schenkten.

Nach dem Abendappel trat eine vollkommene
Stille ein. Ich las gewöhnlich bis Eins, dann
löschte ich das Licht. Der Schlaf versetzte mich
manches Mal in die Freiheit, und beim Erwachen,

noch im Halbschlummer, dachte ich: Gott! was für ein schwerer Traum! Gefängniß, Gendarmen! — das Herz freute sich, daß es nur ein Traum sei, bis plötzlich ein Säbel im Corridor raffelt und ein Officier, nebst einem Soldaten, mit der Laterne in der Hand, die Thüre aufmacht, oder das Geschrei der Wache: „Wer da", oder gar die Trompete dicht am Fenster mit dem schneidenden Rappel die Morgenluft durchbrechen.

In den langweiligen einsamen Stunden, wo ich des Lesens müde war, plauderte ich mit den Soldaten, die mich bewachten, besonders mit dem Alten, der mich vor dem Erstickungstode gerettet hatte. — Alle die alten Leute wurden aus besonderer Gnade vom activen Dienst entbunden, um das ruhige Leben der Gefängnißwärter zu genießen. Sie standen unter der Aufsicht eines Feldwebels, d. h. eines Spionen und Spitzbuben. Der ganze Dienst wurde von fünf bis sechs Gendarmen verrichtet. — Der Alte, von dem die Rede ist, war ein gutes, einfaches Geschöpf, dankbar für die kleinste Güte, deren er wohl wenig in seinem Leben genossen hatte. Er hatte den Feldzug im Jahre 1812 mitgemacht; seine Brust war mit Medaillen bedeckt, seine Dienstjahre waren zu Ende, und doch blieb er im Dienst, weil er nicht wußte, was er machen sollte.

„Ich habe zwei Mal in meine Heimath, in die Mogilöw'sche Provinz, geschrieben, sagte er mir, habe aber keine Antwort erhalten. Es scheint, daß von den Meinigen Niemand mehr am Leben ist. Es ist bitter, in seinen Geburtsort zurückzukehren, um auf die alten Tage an den Bettelstab zu kommen." —

Welch eine barbarische, unbarmherzige Organisation des russischen Militairdienstes! welch eine unerhört lange Zeit der Dienstjahre! — Die Individualität eines Menschen wird bei uns immer schonungslos, ohne den geringsten Ersatz, geopfert.

In den Erzählungen Philimonoff's war ein so trüber Charakter, daß sie mich immer nachdenklich machten. — Er war im Jahre 1815 mit in dem Feldzuge gegen die Türken, in der Compagnie eines höchst gutmüthigen Capitains, der für Jeden seiner Soldaten wie für einen Sohn sorgte, und in der That im Feuer immer an ihrer Spitze war. — „Eine Moldauerin, erzählte Philimonoff, hatte den Capitain bezaubert. Wir bemerkten einmal, daß er sehr gedankenvoll war; — die Sache, sehen Sie, war nämlich die, — Sie verstehen wohl, — er hatte bemerkt, daß die Moldauerin sich auch zu einem anderen Officier schlich. Da rief er uns eines Tages, mich und einen meiner Cameraden —

ein schöner Soldat., dem später unter Klein-Jaros-
law beide Beine abgeschossen wurden — erzählte
uns, wie die Moldauerin ihn verrathen habe, und
fragte, ob wir ihm wol helfen wollten, ihr dafür
eine Lehre zu geben. — „Warum nicht!" sagten
wir ihm, „wir sind immer von Herzen bereit, Ew.
Hochwohlgeboren zu dienen." — Er dankte uns,
zeigte auf das Haus, wo der Officier wohnte, und
sagte: „Sie geht gewiß diese Nacht zu ihm, stellt
euch also auf die Brücke, und wenn sie vorüber
geht, ergreift sie ohne Lärm und in den Fluß mit
ihr." — „Sehr wohl, Herr Capitain," sagten wir
ihm. — Wir versorgten uns mit einem Sack und
setzten uns auf die Brücke. Ungefähr gegen Mitter-
nacht kam die Moldauerin. Wir auf sie zu: „Wohin so eilig, gnädige Frau?" und dabei erhielt sie
einen Hieb auf den Kopf. Sie gab auch nicht einen
Laut mehr von sich; wir steckten sie in den Sack
und warfen sie in's Wasser. — Aber am anderen
Tage ging unser Capitain zum Officier und sagte
ihm: „Zürnen Sie der Moldauerin nicht, wir haben
sie ein wenig zurückgehalten zu kommen, d. h. sie
liegt in diesem Augenblick im Fluß, aber mit Ihnen
könnte ich wohl einen Spaziergang machen, auf
Säbel oder Pistolen" — „Wie Sie wünschen." —
Nun, da haben sie sich geschlagen. Der Andere

hat unferem Capitain die Bruft übel zugerichtet, der
Gute welkte hin, und nach ein Paar Monaten gab
er den Geift auf."

— „Und die Moldauerin?" fragte ich, „ging
fie unter?"

— „Ging unter", — antwortete der Soldat.

Ich drückte mein Erftaunen über die kindliche
Sorglofigkeit aus, mit welcher der alte Gendarm
mir diefe Gefchichte erzählte. Und er, als ob er
zum erften Mal darüber nachdächte und es begriffe,
fügte, um mich zu beruhigen und um fich mit feinem
Gewiffen zu verföhnen, hinzu: — „Eine Heidin
war es ja, ein Volk fo gut wie nicht getauft"...

... Man gab den Gendarmen an jedem kaifer-
lichen Fefttage ein Glas Branntwein. Philimonoff
ließ fünf bis fechs Male vorübergehen, ohne feinen
Theil zu trinken, um mit Einem Mal alle fünf bis
fechs Gläfer zu bekommen. Er merkte fich die Zahl
der nicht erhaltenen Gläfer auf einem Stück Holz
an, und an den allergrößten Feiertagen ging er
und holte fie. Diefen Branntwein goß er in eine
Suppenfchale, ftreute zerkrümeltes Brod hinein und
aß diefes Frühftück mit einem Löffel. — Hierauf rauchte er eine große Pfeife mit einem ganz
kurzen Rohr. Sein Tabak war von einer unge-
wöhnlichen Stärke; er pflegte ihn felbft zu hacken,

und scharffinnig nannte er ihn „Selbfthad." —
Indem er rauchte, krümmte er fich wie ein Wurm
auf einer Fensterbank zufammen — einen Stuhl
gab es im Soldatenzimmer nicht — und fang:
„Mädchen kamen auf die Wiefe, voll von Gras
und Blumen"... Je nachdem ihm der Raufch in
den Kopf ftieg, veränderten fich die Worte auf feiner
Zunge; das Wort: Blumen, wurde zu: klumen,
tlumen, lumen, und hierauf fchlief er ein. — Was
ift das nicht für eine Gefundheit! — über fechszig
Jahre, zweimal verwundet, und noch folche Früh-
ftücke ertragen zu können!

Bevor ich diefe flamändifchen Bilder à la Wu-
vermann-Calo aus der Caferne, und diefe Gefäng-
nißklatfchereien, welche den Erinnerungen aller Gefangenen gleichen, verlaffe, will ich noch einige Worte
über die Officiere fagen.

Sie waren zum größten Theil recht gute Menfchen, keine Spione und nur zufällig in der Gen-
darmen-Divifion. Junge, unvermögende Edelleute,
die wenig oder gar Nichts gelernt hatten, waren fie
Gendarmen geworden, weil fie kein anderes Fach
finden konnten. Ihren Dienft verrichteten fie mit
militairifcher Genauigkeit, ich bemerkte aber bei ihnen
gar keine Spur von Eifer — ausgenommen bei

den Abjutanten — aber darum waren sie ja a uch Abjutanten.

Als ich mit ihnen genauer bekannt wurde, er-leichterten sie mir alle die kleinen Dinge, die von ihnen abhingen, und es wäre unrecht, sich über sie zu beklagen. — Ein junger Officier erzählte mir, daß er im Jahre 1831 den Befehl hatte, einen polnischen Gutsbesitzer, den man beschuldigte, mit den Emissairen Verkehr zu haben, und der sich in der Nachbarschaft seines Guts versteckt hielt, auf-zusuchen. Nachdem er gehörige Erkundigungen ein-gezogen hatte, begab er sich an den Ort, wo der Gutsbesitzer sein sollte, umringte mit seiner Com-pagnie das Haus und ging selbst mit zwei Gen-darmen hinein. Das Haus war leer; sie gingen durch alle Zimmer, durchwühlten alle Winkel — Niemand war zu finden. Und doch bewiesen manche Kleinigkeiten, daß das Haus unlängst bewohnt worden war. — Der Officier ließ beide Gendarmen unten und ging selbst ein zweites Mal hinauf auf den Dachboden, untersuchte ihn aufmerksam und fand eine kleine Thüre, die in irgend eine Vorraths-kammer führte. Die Thüre war von innen zuge-macht. Er stieß mit dem Fuß dagegen, sie that sich auf, und eine hochgewachsene, schöne Frau stand

vor ihm. Schweigend zeigte sie auf einen Mann,
der ein zwölfjähriges, fast bewußtloses Mädchen in
seinen Armen hielt. Das war der Gutsbesitzer und
seine Familie. — Der Officier war bestürzt. Die
edel aussehende Frau bemerkte dieses und sagte:
„Werden Sie wohl so grausam sein, sie zu Grunde
zu richten?" — Er entschuldigte sich, brachte die
gewöhnlichen leeren Phrasen über Pflicht und unbedingten Gehorsam vor, und zuletzt, außer sich,
daß seine Worte nicht die geringste Wirkung hatten,
sagte er: — „Was soll ich denn thun?" — Die
Frau sah ihn stolz an und sagte, mit der Hand
auf die Thüre zeigend: — „Hinunter gehen und
sagen, daß Niemand hier ist!" —

„Bei Gott! ich weiß nicht wie mir geschah
und wie es kam, sagte der Officier, — ich ging
hinunter und ließ die Compagnie zusammenrufen.
Zwei Stunden später suchten wir den Gutsbesitzer
auf's eifrigste an einem anderen Ort. Er soll
nachher über die Grenze entflohen sein. — Donner-
wetter, das war eine Frau!" —

Nichts in der Welt ist unmenschlicher und ein-
fältiger als das Urtheil en gros über ganze Kate-
gorien von Handlungen blos nach ihrem Aushänge-
Schild, ihrem Titel. — J. P. Richter hat mit gro-

sem Recht gesagt: „Wenn ein Kind gelogen hat, sagt ihm, daß es gelogen habe, aber sagt ihm nicht, daß es ein Lügner sei, das würde sein moralisches Selbstvertrauen vernichten." — Sagt man uns: „Das ist ein Mörder", so bilden wir uns gleich ein, einen versteckten Dolch, einen thierischen Ausdruck, der schwarze Absichten verbirgt, zu sehen, als ob das Morden die gewöhnliche Arbeit, das Fach eines Menschen wäre, der vielleicht Ein Mal in seinem Leben Jemanden todtgeschlagen hat. — Man kann nicht Spion, nicht Scharfrichter sein, nicht mit dem Laster Handel treiben und zugleich ehrlicher Mann bleiben. Man kann aber Gendarmen-Offizier sein, ohne alle menschliche Würde verloren zu haben, so wie man auch häufig Zartgefühl, Weiblichkeit und Edelmuth bei den unglücklichen Opfern der gesellschaftlichen Verworfenheit finden kann. — Ich habe einen Widerwillen gegen diejenigen Leute, welche es nicht verstehen, oder sich nicht die Mühe geben wollen, tiefer als auf die Oberfläche der Dinge zu sehen; welche sich nicht über ein Verbrechen, über eine verwickelte, falsche Lage hinwegsetzen können, sondern weise gleich die Sache abmachen oder sich kalt davon abwenden. So verfahren gewöhnlich abstracte, trockene, selbstsüchtige Naturen, die in ihrer Reinheit widerlich sind, oder

Herzen's Verbannung. 5

66

auch. frivole, arme Seelen, die nie auf die Probe
gestellt worden, nie in eine große Versuchung gekommen sind. Diese sind eigentlich ihrer Natur
nach auf dem schmutzigen Boden zu Hause, auf
den die Anderen herabfielen.

76

V.

Die Unterfuchung. — Galitzin sen. — Galitzin jun. — General Staal. — Die Sentenz. — Sofolovsky.

———

. . . Doch bei allem dem wie ging es mit der Sache, mit dem Prozeß?

In der neuen Commiffion ging die Sache eben so wenig von Statten wie in der alten. Die Polizei hatte uns lange beobachtet, aber die Ungebuldige konnte in ihrem Eifer nicht abwarten, bis sie einen wesentlichen Grund aufgefunden hätte. Sie schickte uns einen verabschiedeten Officier, Skarätka, zu, der uns treuherzig machen sollte, um uns zu verrathen. Er wurde mit unserem ganzen Kreise bekannt, aber wir erriethen sehr bald seine Absicht und entfernten ihn von uns. Andere junge Leute, meistens Studenten, waren nicht so vor-

5*

fichtig. Aber diese Anderen hatten mit uns keinen
ernsthaften Verkehr.

Ein Student hatte seinen Freunden nach der
Beendigung seiner Studien ein Gastmahl gegeben,
am 24. Juni 1834. Von uns war nicht nur Niemand da gewesen, sondern es war auch kein einziger eingeladen. Die jungen Leute betranken sich,
machten Späße, tanzten Mazurka, und unter Anderem sangen sie im Chor folgende Posse von Sokolovsky:

> Der Russen Kaiser nahm
> Zur Ewigkeit den Schritt;
> Es kam ein Doctor schon,
> Der ihm den Leib aufschnitt.

> Das Kaiserreich, es weint,
> Es weint das Volk um ihn;
> Uns zu regieren eilt
> Das Ungeheu'r Constantin.

> Doch hat dem Himmelszar,
> Dem Herrn der ganzen Welt,
> Der „gesegnete Russen=Zar"
> Ein' Bittschrift zugestellt.

> Durchlesend diese Schrift
> That Gott sein' Gnade kund:
> Und gab uns Nikolaus,
> Den niederträcht'gen Hund!

Am Abend erinnerte sich plötzlich Skarätka, daß es sein Namensfest sei; er erzählte eine Geschichte, wie er sehr vortheilhaft ein Pferd verkauft habe, lud alle Studenten zu sich ein und versprach ein Dutzend Flaschen Champagner. Alle fuhren zu ihm hin. Der Champagner erschien, und der Wirth schlug, schon etwas wankend, vor, das Lied von Sokolovsky zu wiederholen. Währenddem sie sangen, öffnete sich die Thüre — Zinsky mit der Polizei trat herein.

Alles das wurde dumm, grob und unbeholfen angefangen. Die Polizei wollte uns fest haben, und suchte zugleich eine äußere Veranlassung, um bei derselben Gelegenheit fünf bis sechs andere Personen, auf die sie lauerte, zu greifen. Statt deren ergriff sie zwanzig Unschuldige.

Aber die russische Polizei läßt sich schwer aus der Fassung bringen. — Nach zwei Wochen wurden wir als Theilnehmer des Festes arretirt. Bei Sokolovsky hatte man die Briefe von N. M. gefunden, bei N. M. die von R. und bei dem letzten die meinigen. — Dessen ungeachtet wurde doch Nichts entdeckt. Die erste Untersuchung mißlang.

Damit die zweite erfolgreicher werde, hatte der Kaiser den allerausgezeichnetsten der Inquisitoren, A. F. Galizin, aus Petersburg geschickt.

Diese Race ist bei uns selten. Zu ihr ge-
hörten der bekannte Chef „der dritten Abtheilung'"
(d. h. der geheimen Polizei) Mordwinov, ter Wilna'-
sche Rector Pelikan, noch einige Beamte aus den
Ostseeprovinzen und einige gesunkene Polen.

Aber zum Unglück für die Inquisition wurde
der Commandant von Moskau, Staal, zum ersten
Mitgliede derselben ernannt. — Staal, ein ehrlicher Krieger, ein alter, tapferer General, untersuchte die Sache und fand, daß sie zwei verschiedene Seiten habe, die unter sich nichts gemein hätten,
nämlich: auf der einen Seite das Gastmahl, das
eine polizeiliche Strafe fordere, und auf der anderen
den Arrest von einigen, Gott weiß warum festge-
nommenen Leuten, die für einige halb ausgesprochene
Meinungen zu verurtheilen — schwer und lächerlich
wäre. —

Die Meinung Staal's gefiel dem jüngeren
Galizin nicht. Der Streit der Beiden nahm einen
sehr scharfen Charakter an. Der alte Krieger brauste
auf vor Zorn, schlug mit seinem Säbel gegen den
Tisch und sagte: „Anstatt die Menschen in's Verderben zu bringen, sollten Sie doch lieber den Vorschlag machen, die Universität zu schließen; dann würden andere Unglückliche verschont bleiben. — Uebrigens
können Sie machen, was Sie wollen, nur ohne mich;

mein Fuß betritt die Commiffion nicht mehr." — Mit diefen Worten verließ der Alte eiligst den Saal.

Alles dies ward noch an demfelben Tage dem Kaifer gemeldet, und am folgenden Morgen, als der Commandant mit feinem Rapport bei ihm erfchien, fragte der Kaifer ihn, warum er nicht mehr in die Commiffion kommen wolle. — Staal erzählte warum. — „Was für dummes Zeug," unterbrach ihn der Kaifer, „fich mit Galißin zu zanken! welche Schande! ich hoffe, du wirst wie bisher fortfahren die Commiffion zu befuchen." — „Mein Kaifer," antwortete Staal, „verfchonen Sie meine grauen Haare. Ich bin grau geworden, ohne daß ein Tadel auf mir haftet. Mein Eifer ist Ihrer Majestät bekannt, mein Blut, die letzten Tage meines Lebens gehören Ihnen. Hier aber handelt es fich um meine Ehre — mein Gewiffen empört fich gegen das, was in der Commiffion getrieben wird." — Der Kaifer verzog das Geficht, Staal verbeugte fich und erfchien nicht mehr in der Commiffion.

Diefe Anekdote, deren Richtigkeit nicht dem geringsten Zweifel unterworfen ist, wirft ein klares Licht auf den Charakter von Nikolaus. Wie kam es ihm denn nicht in den Sinn, daß die Sache nicht ganz rein fein konnte, da ein Menfch, wie Staal, ein tapferer, verdienstvoller alter Mann, dem er seine Achtung nicht versagen konnte, sich so bestimmt weigerte damit etwas zu thun zu haben, weil er seine Ehre dabei für gefährdet hielt? — Er hätte zum wenigsten Galizin kommen lassen müssen, damit Staal in seiner Gegenwart die Sache erkläre. — Er that das nicht, sondern befahl im Gegentheil, uns strenger zu halten.

Darnach blieben in der Commission lauter Feinde der Verhafteten unter der Aufsicht eines alten Dummkopfs, der nach neun Monaten eben so wenig von der Sache wußte, als neun Monate vorher. Er beobachtete ein majestätisches Schweigen, gab sich eine wichtige Miene, nahm selten am Gespräch Theil, und am Ende eines jeden Verhörs fragte er: — „Kann man ihn entlassen?" — „Ja," antwortete Galizin junior, und Galizin senior sagte bedeutungsvoll zu dem Arrestanten: — „Sie können gehen!"

Mein erstes Verhör dauerte vier Stunden. Der Fragen waren zweierlei. Die einen hatten zum Ziel, die gegen den Geist der Regierung gerichteten Meinungen und die „durch die schädliche Lectüre St. Simon'scher Schriften entwickelten Gesinnungen" (wie Galizin junior und der Auditor sich ausdrückten) zu entdecken.

Diese Fragen waren sehr einfach; nur waren

es keine Fragen, die Meinungen waren deutlich genug in den in Beschlag genommenen Papieren und Briefen bezeichnet. Die Fragen konnten sich höchstens auf das materielle Factum beziehen, ob Jemand solche Zeilen geschrieben habe oder nicht. Die Commission fand für nothwendig, zu jeder ausgeschriebenen Phrase hinzuzufügen: „Wie erklären Sie folgende Stelle Ihres Briefes?" — Zu erklären war da Nichts, und ich antwortete mit rhetorischen Phrasen.

In einem Briefe hatte der Auditor folgende Stelle entdeckt: „Alle constitutionellen Charten führen zu Nichts; sie sind nur Contracte zwischen dem Herrn und dem Sklaven; die Aufgabe besteht nicht darin, daß es den Sklaven besser ergehe, sondern darin, daß es keine Sklaven mehr gebe." — Als ich diese Stelle erklären sollte, sagte ich, daß ich nicht die Nothwendigkeit einsähe, eine constitutionelle Regierung zu vertheidigen, und gerade, wenn ich das thun würde, könnte man es mir vorwerfen.

— „Man kann die constitutionelle Regierungsform von zwei Seiten angreifen," bemerkte Galitzin jun. mit seiner nervösen, kreischenden Stimme, „Sie greifen sie nicht an vom monarchischen Gesichtspunkte aus, sonst würden Sie nicht von Sklaven sprechen."

— „In diesem Falle begehe ich denselben Fehler wie die Kaiserin Catharina II., welche ihren
Unterthanen befahl, sich nicht Sklaven zu nennen."

Galißin jun. antwortete mir, indem er vor
Wuth über diese ironische Antwort fast erstickte:

„Sie glauben gewiß, daß wir uns hier versammeln, um scholastische Streitigkeiten auszufech-
ten. Denken Sie, daß Sie in der Universität eine
Dissertation vertheidigen?"

„Warum fordern Sie denn eine Erklärung?"

— „Sie stellen sich an, als ob Sie nicht ver-
ständen, was man von Ihnen will!"

— „Ich verstehe es auch nicht." —

„Welch' ein Eigensinn bei Ihnen Allen!" bemerkte der Präsident. — Galißin jun. zuckte die
Achsel und warf einen Blick auf den Gensdarmen-
Obrist Schubensky. — Ich lächelte. — „Ganz
wie N.," fügte der allzugütige Präsident noch hinzu.

Es entstand eine Pause. — Die Commission
versammelte sich immer in der Bibliothek des Fürsten S. Galißin. — Ich kehrte mich nun zu den
Schränken und besah die Bücher. Unter andern
war da eine vielbändige Ausgabe von den Schriften
von St. Simon.

— „Welche Ungerechtigkeit!" sagte ich dem
Präsidenten, „ich bin unter Anklage wegen St.

Simon's Schriften, und bei Ihnen, Fürst, befinden
sich mehr als zwanzig Theile seiner Werke!"

Da der Alte von seiner Geburt an Nichts gelesen hatte, so wußte er Nichts darauf zu antworten.
Aber Galitzin jun. sah mich mit Schlangenaugen an
und fragte:

— „Sind Sie blind, daß Sie nicht sehen,
daß das die Schriften desjenigen St. Simon's sind,
der zur Zeit Ludwigs des XIV. lebte?

Der Präsident lächelte, machte mir mit dem Kopf
ein Zeichen, das ausdrücken wollte: Ah, Freund, hast
du dich mal vergriffen! — und sagte: „Gehen Sie!"

Als ich in der Thüre war, hörte ich, wie er
fragte: — „Hat der da das über Peter I. geschrieben, was Sie mir da zeigten?"

— „Ja der," antwortete Schubensky.

Ich blieb einen Augenblick stehen.

— „Er hat Fähigkeiten," bemerkte der Präsident.
— „Desto schlimmer. In geschickten Händen
ist Gift um so gefährlicher," fügte der Inquisitor
hinzu, — „das ist ein schädlicher, unverbesserlicher
junger Mensch" . . . .

In diesen Worten lag mein Urtheil.

Doch noch ein Seitenstück zu St. Simon. —
Als der Polizeimeister bei N. die Papiere und Bü-

ther unterfuchte, legte er einen Theil der Geschichte
der französischen Revolution von Thiers zur Seite,
nachher einen zweiten, dritten, sechsten, — zuletzt
riß ihm die Geduld, und er sagte: „Gott, diese
Masse revolutionairer Bücher! . . . . und da noch
eins," fügte er hinzu, indem er dem Commissair
die Rede von Cuvier: „Sur les révolutions du globe
terrestre" reichte.

Die Fragen der andern Kategorie waren bei
weitem verwickelter. Es wurden allerlei polizeiliche
Kniffe und Verhörs-Kunstgriffe angewendet, um
uns Fallen zu stellen und uns in Widersprüche zu
verwickeln. Man machte Anspielungen auf die Geständnisse der anderen Freunde, und was dergleichen
moralische Foltern mehr waren. — Es lohnt sich
nicht der Mühe, sie zu erzählen. Genug, daß es
ihnen nicht gelang, einen Einzigen von uns in die
Falle zu locken.

Nachdem man mir die letzte Frage vorgelegt
hatte, saß ich allein in einem Zimmer, wo wir die
Antworten zu schreiben pflegten. Plötzlich ward die
Thüre aufgemacht, Galitzin jun. trat mit einem be-
trübten, nachdenklichen Gesicht herein. — „Ich bin
gekommen" sagte er, „um mit Ihnen vor dem Ende
Ihres Verhörs zu sprechen. Die langjährige Bekanntschaft meines verstorbenen Vaters mit dem

Ihrigen macht, daß ich einen besonderen Antheil an Ihnen nehme. Sie sind jung und können noch eine Carrière machen. Dazu müssen Sie sich aber aus der Sache ziehen — und zum Glück hängt das von Ihnen ab. Ihr Vater hat sich Ihre Verhaftung sehr zu Herzen genommen und lebt jetzt in der Hoffnung, Sie wieder frei zu sehen. So eben haben wir mit dem Fürsten Galißin darüber gesprochen und sind aufrichtig-bereit, alles Mögliche zu thun; geben Sie uns die Mittel, Ihnen zu helfen!"

Ich begriff, wo das hinaus wollte, das Blut stieg mir in die Wangen, ich zerbiß meine Feder vor Aerger.

Er fuhr fort: — „Sie gehen geraden Wegs in die Casematten oder unter den weißen Riemen. Dadurch stürzen Sie Ihren Vater in's Grab; er wird es nicht überleben, Sie im grauen Soldatenmantel zu sehen —"

Ich wollte Etwas sagen, aber er unterbrach mich.

— „Ich weiß, was Sie sagen wollen! Halten Sie ein! Es ist klar, daß Sie Absichten gegen die Regierung hatten. Damit wir die Gnade des Monarchen für Sie gewinnen können, müssen wir Beweise Ihrer Reue haben — — Sie schweigen hartnäckig, weichen den Antworten aus und schonen aus falschem Ehrgefühl Leute, von denen wir mehr wissen, als Sie, und

die nicht so verschwiegen gewesen sind wie
Sie. Sie werden denen nicht helfen, wohl aber
von ihnen mit in's Verderben gezogen werden.
Schreiben Sie einen Brief an die Commission, einfach, aufrichtig, — gestehen Sie, daß Sie Ihr
Unrecht einsehen, daß Sie bei Ihrer Jugend ver-
leitet worden sind, nennen Sie die Unglücklichen,
welche die Schuld davon tragen .... Wollen Sie
Ihre Zukunft und das Leben Ihres Vaters um
diesen kleinen Preis erkaufen?"

— „Ich weiß Nichts und werde zu meinen
Erklärungen kein Wort hinzufügen."

Galitzin stand auf und sagte mit einem trocke-
nen Tone: — „Ah, Sie wollen nicht! — nun, es
ist nicht unsere Schuld!"

Dies war der Schluß des Verhörs.

Im Januar oder Februar 1835 war ich zum
letzten Mal in der Commission. Man rief mich,
damit ich meine Antwort durchlesen, — wenn ich
wollte, sie verändern und unterschreiben sollte.
Schubensky allein war gegenwärtig. Als die Lectüre
beendet war, sagte ich ihm:

— „Ich wünschte wohl zu wissen, wie man
einen Menschen nach diesen Fragen und Antworten
beschuldigen kann? Unter welchen Paragraph des
Codex werde ich gestellt werden?"

— „Der Coder ist für Verbrechen an=
derer Art bestimmt," bemerkte der blaue Obrist.

— „Das ist eine andere Sache; aber wenn
ich diese literarischen Productionen durchlese, scheint
es mir unglaublich, daß deren Inhalt die einzige
Ursache sei, weshalb ich sieben Monate im Gefäng=
niß sitze."

— „So bilden Sie sich denn wirklich ein,"
unterbrach mich Schubensky, „daß wir es Ihnen
glauben, daß sich keine geheime Gesellschaft unter
Ihnen gebildet hätte?"

— „Wo ist denn aber diese Gesellschaft?"
fragte ich.

— „Das ist Ihr Glück, daß man die Spu=
ren derselben nicht gefunden hat, daß Sie noch
nicht Zeit gehabt haben, Etwas anzufangen. Wir
haben Sie bei Zeiten zurückgehalten, das heißt mit
anderen Worten, wir haben Sie gerettet."

Während ich meine Unterschrift gab, klingelte
Schubensky und befahl, den Pfaffen zu rufen. Der
Pfaffe kam und bescheinigte unter meiner Unter=
schrift, daß alle meine Geständnisse freiwillig, ohne
den geringsten Zwang gemacht worden seien. Es
versteht sich von selbst, daß er bei den Verhören
nie zugegen gewesen war, und daß er mich sogar
nicht einmal des Scheines halber darüber befragte.

Ein Seitenstück zu dem Geschworenen hinter der Pforte.

Von jetzt an wurde unsere Haft etwas milder. Die nächsten Verwandten konnten aus dem Ordonnanzhause die Erlaubniß erhalten, uns zu sehen. — Auf diese Weise vergingen noch zwei Monate.

Gegen die Mitte März ward unser Urtheil gesprochen. Niemand wußte, worin es bestand. Einige sagten, daß man uns nach dem Kaukasus schicken wolle, Andere — daß wir nach Bobruisk gebracht werden sollten, Andere wieder hofften, daß Alle freigelassen werden würden. (Dieses Letztere war Staal's Meinung, die er auch dem Kaiser mittheilte; er schlug vor, uns die Gefangenschaft als Strafe anzurechnen.)

Endlich wurden wir beim Fürsten Galitzin versammelt, um unser Urtheil zu vernehmen. Dieser Tag war für uns das Fest der Feste. Hier sahen wir uns zum ersten Mal nach der Verhaftung wieder.

Lärmend und freudig umarmten wir uns und drückten einander die Hände, inmitten eines Kreises von Garnison- und Gendarmen-Officieren. Das Wiedersehen belebte Alle, der Erzählungen und Anekdoten war kein Ende.

Sokolovsky war auch dabei, — etwas blaß

und abgemagert, aber im vollen Glanze feines
Humors. — Er, der Autor der „Schöpfung,"
„Chewer," und anderer recht guter Poefien, war
von der Natur mit einer reichen dichterischen Ader
begabt, er war aber nicht wild = felbftftändig genug,
um der Entwickelung der Civilifation entbehren zu
können, und nicht genug gebildet, um fich felbft zu
entwickeln. Ein edler Menfch, der die Welt als
Poet betrachtete, aber gar kein Politiker. Er war
liebenswürdig, unterhaltend, ein luftiger Camerad
in frohen Augenblicken, Bonvivant, liebte zu zechen
und auszufchlagen, wie wir Alle, — vielleicht noch
etwas mehr. — Er war über dreißig Jahr alt.
Seine Werke waren damals in der Mode, man
zahlte ihm gut dafür, aber er hatte nie einen Heller
in der Tafche; — in den erften vierundzwanzig
Stunden brachte er Alles durch, was er eingenom-
men hatte. — Zufällig von einer Orgie in's Gefängniß gerathen, benahm fich Sokolovsky ausgezeichnet; er wuchs an Seelengröße im Kerker. —
Der Auditor der Commiffion, ein Pedant und
Pietift, der von Neid und Habfucht mager und
grau geworden war, fragte Sokolovsky, indem er
aus Ehrfurcht gegen den Thron und die Religion
den grammatikalifchen Sinn der beiden letzten Verfe
nicht zu verftehen wagte:

Herzen's Verbannung.   6

— „Auf wen beziehen sich die abscheulichen Worte am Ende Ihres Gedichts?"

— „Seien Sie versichert", antwortete Sokolovsky, „daß sie sich nicht auf den Kaiser, sondern auf Gott beziehen. Ich richte Ihre Aufmerksamkeit in's Besondere auf diesen für mich sehr erleichternden Umstand."

Der Auditor zuckte die Achsel, blickte zur Decke empor, sah dann Sokolovsky lange stumm an und nahm zuletzt eine Prise Tabak.

Sokolovsky war schlechter gehalten worden, als wir Andern, — im Moskauer Zuchthause, in einer geheimen Abtheilung, in einem dunkeln Loch, — und doch, wie ich schon gesagt habe, war er guten Muths und erheiterte uns durch seine Erzählungen.

. . . . . Es erschien Galitzin „en grande tenue", mit einem blauen Band, Zinsky in Suitenuniform, sogar der Auditor Dransky hatte für diesen Freudentag eine Art civil-militairisches hellgrünes Kleidungsstück angezogen. Der Commandant kam, versteht sich, nicht.

Der Lärm und das Gelächter waren unterdessen so stark geworden, daß der Auditor drohend in den Saal kam und sagte, daß das laute Reden und besonders das Lachen ein schrecklicher Beweis von

Nichtachtung gegen den allerhöchsten Willen sei, den zu vernehmen wir im Begriffe ständen.

Die Thüre wurde geöffnet. Die Officiere theilten uns in drei Abtheilnngen; in der ersten waren Sokolovsky, ein Maler Utkin und ein Officier Ibayeff; in der zweiten waren wir; in der dritten tutti frutti. — Das Urtheil wurde der ersten Kategorie besonders vorgelesen. Es war unerhört; die Anklage lautete auf Majestäts-Beleidigung, die Beschuldigten wurden nach Schlüsselburg verschickt auf unbestimmte Zeit. Alle drei hörten mit Heldenmuth dieses furchtbare Urtheil an. — Utkin starb nach zwei Jahren in den Casematten; Sokolovsky wurde halbtodt nach dem Kaukasus geschickt und starb in Pätigorsk. Nach dem Tode der beiden ersten bewog ein Rest von Scham und Gewissen die Regierung, den dritten nach Perm überzuführen; Ibayeff starb dann auch auf seine Art — er wurde ein Mystiker.

Utkin, „freier Künstler im Kerker eingesperrt", wie er sich beim Verhör unterschrieb, war ein Mann von ungefähr vierzig Jahren. Er hatte nie an einer politischen Handlung Theil genommen, aber, edel und heftig, wie er war, hatte er seiner Zunge in der Commission freien Lauf gelassen und war scharf und derb gegen die Mitglieder derselben gewesen. Dafür hat man ihn in einer feuchten Case-

6*

matte, wo das Waſſer von den Wänden floß, zu
Tode gemartert.

Ibayeff war deßhalb ſchuldiger als die Anderen, weil er Epauletten trug. Wäre er nicht Officier geweſen, ſo hätte man ihn nicht ſo beſtraft.
Dieſer Menſch war zufällig auf ein Gelage gerathen und hatte wahrſcheinlich getrunken und geſun-
gen, aber gewiß weder mehr noch lauter als alle
Andern.

Es kam die Reihe an uns. Oransky wiſchte
ſeine Brillen ab, räuſperte ſich und begann die er-
bauliche Mittheilung des Allerhöchſten Beſchluſſes.
Derſelbe lautete: — daß der Kaiſer, nachdem er
den Bericht der Commiſſion geleſen, das jugendliche Alter der Verbrecher berückſichtigend, beföhle,
uns nicht dem Gericht zu übergeben, ſondern uns zu verkündigen, daß zwar nach dem Geſetz Leute, die ſich einer Majeſtäts-Beleidigung durch
das Singen aufwieglerischer Lieder ſchuldig gemacht
hätten, des Todes ſchuldig ſeien, daß zufolge anderer Geſetze diese Strafe in lebenslängliche Zwangsarbeit verwandelt werden könnte, daß der gränzen-
los gnädige Kaiſer aber ſtatt deſſen den meiſten der
Schuldigen verzeihe und ihnen geſtatte, an ihren
Wohnörtern unter polizeilicher Aufſicht zu bleiben.
Die ſchwerer Verſchuldeten wurden ſolchen Strafen

unterworfen, die ihre Befferung zum Ziele hatten. Diefe Strafen beftanden in Verschickung in entfernte Provinzen auf unbeftimmte Zeit, oder im Eintritt in den Staatsdienft unter der Aufficht der localen Obrigkeit.

Diefer schwerer Verschuldeten fanden fich sechs. Der erste Name war der meine; ich war nach Perm beftimmt. — Unter der Zahl der Verurtheil= ten befand fich Lachtin, der gar nicht arretirt gewe= fen war. Als man ihn vor die Commiffion rief, um dies Urtheil zu hören, glaubte er, daß man ihm bloß Furcht einjagen wolle, indem man ihm zeige, wie Andere geftraft würden. Man fagte, daß Jemand aus Galitzin's Umgebung gegen Lach= tin's Frau erbittert fei und ihm dafür diefe Unter= fuchung bereitet habe. Er hatte eine schwache Ge= fundheit und ftarb ungefähr im dritten Jahre fei= nes Exils.

Als Oransky die Vorlefung beendet hatte, trat der Obrift Schubensky auf die Scene. Mit gefuchten Worten und in einem Styl à la Lomo= noffoff kündigte er uns an, daß wir die Gnade des Kaifers dem edelmüthigen Präfidenten der Com= miffion zu verdanken hätten. — Schubensky erwar= tete, daß Alle bei diefen Worten dem Fürften dan= ken würden, es kam aber anders. Einige von den

Begnadigten verbeugten sich (und das sogar nur, indem sie auf uns einen verstohlenen Blick warfen). Wir aber standen mit übereinander-geschlagenen Armen und gaben kein Zeichen der Rührung über die kaiserliche und fürstliche Gnade zu erkennen.

Da dachte sich Schubensky eine neue List aus und sagte zu N.: — „Sie reisen nach Pensa; glauben Sie denn, daß das zufällig ist? — In Pensa liegt Ihr Vater vom Schlage gerührt, der Fürst hat den Kaiser gebeten, Ihnen diese Stadt anzuweisen, um Ihrem Vater durch Ihre Gegenwart den Schmerz, den ihm Ihr Exil bereiten wird, ein wenig zu lindern. Ist es möglich, daß auch Sie keine Ursache finden, dem Fürsten zu danken? —"

Es war Nichts zu machen, — N. verbeugte sich. Dies war es, was sie erreichen wollten.

Der gute Alte war befriedigt und rief mich, ich weiß nicht warum. Ich trat hervor mit der festen Absicht, nicht zu danken, er und Schubensky möchten sagen, was sie wollten; obendrein schickte man mich am allerweitesten und in die allerunangenehmste Stadt.

— „Und Sie gehen nach Perm!" — sagte der Fürst.

Ich schwieg. — Der Fürst ward verwirrt und,

um noch Etwas zu sagen, fügte er hinzu: — „Ich habe dort ein Gut."

— „Wünschen Sie durch mich Ihrem Verwalter einen Auftrag zu geben"? fragte ich lächelnd.

— „Ich gebe keine Aufträge an Leute wie Sie . . . an Carbonaris" — erwiderte der geistreiche Herr.

— „Was wünschen Sie also von mir?"

— „Nichts!"

— „Mir schien, Sie riefen mich."

— „Sie können gehen", — unterbrach Schubensky.

— „Erlauben Sie mir", fuhr ich fort, „da ich einmal hier bin, Sie zu erinnern, Herr Obrist, daß Sie mir das letzte Mal in der Commission gesagt haben, Niemand beschuldige mich wegen des Gastmahls, und dennoch ist in meinem Urtheil gesagt, ich sei einer der Schuldigen in dieser Sache. Hier muß demnach ein Mißverständniß obwalten."

— „Sie wollen gegen den Allerhöchsten Willen protestiren", sagte Schubensky. — „Nehmen Sie sich in Acht, daß Perm sich nicht in etwas Schlimmeres verwandele. Ich werde Ihre Worte niederschreiben."

— „Darum wollte ich Sie eben bitten. Im Urtheil ist gesagt: „zufolge des Berichts der Commiffion;" ich antworte auf Ihren Bericht, nicht aber auf den Allerhöchsten Willen. Der Fürst ist Zeuge, daß man mir fogar nicht einmal Fragen über das Gaftmahl und die Lieder vorgelegt hat."

— „Als ob Sie nicht wüßten", fagte Schubensky, der vor Wuth blaß zu werden anfing, „daß Ihre Schuld zehnmal größer ist als die derer, welche bei dem Gaftmahl waren. Da ist einer", — und er zeigte mit dem Finger auf einen der Begnadigten, — „der hat im betrunkenen Zustande ein abscheuliches Lied mitgefungen und nachher auf den Knieen, mit Thränen, um Verzeihung gebeten. Aber Sie, Sie find noch fern von jeder Reue."

Der Herr, welchen der Obrist bezeichnet hatte, schwieg. Er erwiederte Nichts und starb auch nicht vor Scham. . . . Die Lehre war schlagend. Das hat man davon, wenn man Gemeinheiten begeht. . . . .

— „Erlauben Sie", fuhr ich fort, „es handelt sich nicht darum, ob meine Schuld groß oder klein ist, aber wenn ich ein Mörder bin, fo will ich nicht für einen Dieb gelten. Ich will nicht, daß man, felbst mit der Abficht mich zu entschuldigen, von mir fage, daß ich, wie Sie fich eben ausdrückten, im betrunkenen Zustande Diefes oder Jenes angegeben habe."

— „Wenn ich einen Sohn, einen leiblichen

Sohn, von solcher Verschlagenheit hätte, ich würde selbst den Kaiser bitten, ihn nach Sibirien zu schicken."

Hier mischte der Oberpolizeimeister allerlei unzusammenhängenden Unsinn in's Gespräch. Schade, daß der jüngere Galizin nicht dabei war; das wäre eine Gelegenheit gewesen, zu peroriren.

Dieses Alles endigte natürlich mit Nichts.

Lachtin näherte sich dem Fürsten und bat um Aufschub seiner Abreise. — „Meine Frau ist schwanger", sagte er. — „Daran bin ich nicht schuld", antwortete Galizin....

Tolle Hunde haben wenigstens ein ernstes Aussehen, wenn sie beißen — aber dieser blödsinnige Aristokrat, der noch dazu den Ruhm eines guten Menschen hatte....

Trotz der eifrigen Ermahnungen der Polizei- und Gendarmen-Officiere blieben wir noch ein Mal eine Viertel-Stunde zusammen im Saal stehen, — umarmten einander fest und nahmen auf lange Abschied. — Außer Obolensky habe ich vor meiner Rückkehr aus Wätka Niemand wiedergesehen.

Die Abreise stand uns bevor.

Im Gefängniß dauerte unser früheres Leben noch fort, jedoch durch die Abreise in die Wüste ward es abgebrochen.

Das jugendliche Dasein in unserem Freundes-
Kreise war zu Ende. — Das Exil wird sicher mehrere Jahre dauern. Wo und wann werden wir
uns wieder begegnen? — werden wir uns überhaupt
wieder begegnen? . . . .

Ich bedauerte das bisherige Leben, — und so
plötzlich von ihm scheiden — ohne Abschied. N. zu
sehen, durfte ich nicht einmal hoffen. In den
letzten Tagen hatten zwei meiner Freunde es möglich gemacht, zu mir zu kommen, doch das war mir
zu wenig. — Noch Ein Mal meine junge Trösterin
zu sehen, ihr die Hand zu drücken, wie ich sie ihr
auf dem Gottesacker drückte — darnach verlangte
mich! — Mit einem Blick in ihre Augen wollte ich
vom Alten scheiden und der Zukunft entgegen gehen . . .

Wir sahen uns einige Minuten — am 9. April
1835. — Es war Abend — am folgenden Morgen reiste ich ab.

Lange habe ich diesen Tag in meinem Gedächtniß gefeiert, er enthielt einige der glücklichsten Augenblicke meines Lebens.

. . . . Warum kommen mir denn nun schreckliche
Erinnerungen, wenn ich an diesen Tag und an alle
hellen Tage meiner Vergangenheit denke? — ein

Grab, ein Kranz aus dunkelrothen Rosen, zwei
Kinder, die ich an der Hand hielt, — Fackeln, eine
Menge Verbannter, — Mondschein, — das Meer
am Fuße des Berges, — eine Rede, die ich nicht
verstand, und die mir das Herz zerriß........
Alles ist vergangen!

VI.

Das Exil. — Der Polizeimeister in Pokrov. — Die
Wolga. — Perm.

Am 10. April Morgens brachte mich ein Gen-
darmen-Officier in das Haus des General-Gouverneurs. Es wurde den Verwandten erlaubt, in einer
geheimen Abtheilung seiner Kanzlei von mir Abschied zu nehmen.

Natürlich war das dort nicht angenehm —
Spione und Schreiber, das Vorlesen der Instruction
für den Gendarmen, der mich begleiten sollte, die
Unmöglichkeit, ein Wort ohne Zeugen zu sagen —
kurz, eine beleidigendere und traurigere Umgebung
hätte man sich nicht denken können.

Ich athmete auf, als endlich meine Kalesche
längs dem Fluß Wladimirka hinrollte.

> Per me si va nella cita dolente,
> Per me si va nel eterno dolore —

Auf einer Station schrieb ich diese beiden Verse hin, welche eben so gut für die Landstraße nach Sibirien, wie für den Eintritt in die Hölle passen.

Eine Meile hinter Moskau ist ein Wirthshaus, „Perov" genannt. Da wollte mich einer meiner intimsten Freunde erwarten. Ich machte meinem Soldaten den Vorschlag, ein Glas Branntwein zu trinken. Er willigte ein, es war weit von der Stadt. — Wir gingen hinein, aber mein Freund war nicht da. Ich zögerte im Wirthshaus durch alle möglichen Mittel; der Soldat wollte nicht länger warten, der Fuhrmann trieb seine Pferde an — als plötzlich eine Troika (Dreispänner) angeflogen kam und grade auf das Wirthshaus zu — ich stürzte an die Thüre.... Zwei Fremde, spazieren fahrende Kaufmannssöhne, stiegen lärmend aus dem Postwagen. Ich blickte in die Ferne — nicht ein einziger sich bewegender Punkt, nicht ein einziger Mensch war auf der Straße nach Moskau zu sehen... Es war hart, so weiter zu fahren. — Ich gab dann dem Fuhrmann zwanzig Kopeken und wir flogen blitzschnell davon.

Wir fuhren, ohne anzuhalten; dem Gendarmen war befohlen, nicht weniger als 200 Werst (28 Meilen) in vierundzwanzig Stunden zu machen. Das war erträglich — nur nicht im Anfang April. Der Weg war stellenweise mit Eis, stellenweise mit Schmutz und Wasser bedeckt und wurde immer unfahrbarer, je mehr wir uns Sibirien näherten.

Das erste Reiseabenteuer hatte ich in Pokrov. — Wir hatten mehrere Stunden wegen des Eises verloren, welches die Verbindung der beiden Ufer des Flusses hemmte. Der Gendarm war in großer Eile, aber der Posthalter erklärte, er habe keine Pferde. Der Gendarm zeigte ihm den Reisepaß, worin gesagt war, daß man Courierpferde fordern könne, wenn keine Postpferde da seien. Der Posthalter entschuldigte sich, die Pferde im Ort seien für den Vicepräsidenten des Ministeriums des Inneren genommen. Aber als mein Gendarm anfing zu zanken und zu lärmen, da lief der Posthalter fort, um Privat-Pferde von den Einwohnern herbeizuschaffen. Der Gendarm lief mit ihm. — Es langweilte mich, in dem schmutzigen Zimmer des Posthalters auf sie zu warten; ich ging aus der Thüre und fing an, vor dem Hause auf und nieder zu gehen. Das war nach einer neun-monatlichen Einkerkerung der erste Spaziergang ohne Soldaten.

Als ich eine halbe Stunde ungefähr gegangen war, begegnete mir ein Mensch in einem Militair-Rock ohne Epauletten und mit einem blauen pour le mérite um den Hals. Er sah mich mit einer

beharrlichen Unverschämtheit an, ging vorüber, kehrte
wieder um und fragte mit dreister Miene: — „Sind
Sie es, den der Gendarm nach Perm führt?" —
„Ich bin es", antwortete ich, ohne stehen zu bleiben. — „Erlauben Sie, aber wie darf er denn"...

— „Mit wem habe ich die Ehre zu sprechen?" —

— „Ich bin der hiesige Polizeimeister", antwortete der Fremde, — und in seinem Ton sprach
sich ein tiefes Bewußtsein der hohen Bedeutung seiner Stellung aus, — „ich erwarte von Stunde zu
Stunde den Vicepräsidenten des Ministeriums, und
hier spazieren mir nichts dir nichts politische Arrestanten auf den Straßen herum. Was ist denn das
für ein Esel von Gendarm?"

— „Ist Ihnen nicht gefällig, sich an ihn zu
wenden?"

— „Nicht mich an ihn wenden, aber ihn arretiren werde ich — ihm hundert Stockprügel geben
und Sie mit einem Polizeidiener fortschaffen lassen!"

Ich nickte ihm zu, und, ohne das Ende seiner
Rede abzuwarten, ging ich mit schnellen Schritten
in's Posthaus. Durch's Fenster hörte ich, wie er
fort wüthete und dem Gendarmen drohte. Dieser
entschuldigte sich, schien aber nicht sehr eingeschüchtert. — Nach ein Paar Minuten kamen beide her-

ein. Ich saß nach dem Fenster gekehrt und sah sie nicht an. Aus den Fragen, die der Polizeimeister an den Gendarmen richtete, merkte ich gleich, daß er den brennenden Wunsch hatte, zu erfahren, weswegen ich verschickt sei, — warum, wie und was. — Ich beharrte im Schweigen. — Der Polizeimeister fing eine Rede an, die sich weder an mich noch an den Gendarmen richtete: — „Niemand will sich in unsere Lage versetzen. Kann es mir wohl angenehm sein, mich mit einem Soldaten herumzuzanken oder einem Menschen, den ich von seiner Geburt an niemals gesehen habe, Unannehmlichkeiten zu machen? — Jede Verantwortung liegt auf dem Polizeimeister; er ist der Wirth der Stadt. Was auch geschehen mag — verantworte, heißt es; ist die Kronkasse bestohlen — du bist schuld; ist eine Kirche abgebrannt — du bist schuld; sind viele Betrunkene auf der Straße — du bist schuld; trinkt man wenig Wein — du bist auch schuld (— seine letzte Bemerkung gefiel ihm selbst sehr, und er fuhr in einem lustigeren Tone fort:) — Noch gut, daß Sie mir begegneten, aber wären Sie nun dem Vicepräsidenten begegnet, und wären auch so vorbeigegangen, und der hätte gefragt: — „„Wie? ein politischer Gefangener! — Der Polizeimeister muß vor's Gericht"" ..."

Ich war seine schöne Rede satt, kehrte mich
zu ihm hin und sagte: — „Thun Sie nach Ihrem
Wunsche, ich bitte aber, verschonen Sie mich mit
Ihrer Belehrung. Aus Ihren Worten sehe ich,
daß Sie erwarteten, ich sollte Sie grüßen. Ich habe
nicht die Gewohnheit, Fremde zu grüßen!"

Der Polizeimeister wurde verwirrt. — Bei uns
ist es immer so; wer am ersten Lärm macht, wer
zu schreien anfängt, der hat die Oberhand. Wenn
man mit seinem Vorgesetzten spricht und ihm erlaubt, die Stimme zu erheben, dann ist man verloren; denn wenn er sich selbst schreien hört, wird
er zum wilden Thier. Wenn man ihn aber beim
ersten groben Wort selbst anschreit, so wird er bang
und giebt sicher nach; er ist dann überzeugt, daß
er es mit einem charakterfesten Menschen zu thun
hat, und Leute der Art muß man nicht zu sehr reizen.

Der Polizeimeister schickte den Gendarmen hin,
sich wegen der Pferde zu erkundigen, und wendete
sich dann zu mir, wie um sich zu entschuldigen: —
„Ich that das mehr wegen des Soldaten — Sie
kennen unsere Soldaten nicht — man darf mit ihnen
nicht die geringste Nachsicht haben — aber glauben
Sie mir, daß ich verstehe, die Leute zu unter-
scheiden — erlauben Sie mir, Sie zu fragen, welcher unglückliche Zufall" —

Herzen's Verbannung. 7

— „Als unsere Sache beendigt war, wurde uns verboten, darüber zu sprechen."

— „In diesem Fall — freilich — darf ich nicht" — — und der Blick des Polizeimeisters drückte die Qual der unbefriedigten Neugierde aus. Er schwieg ein Weilchen, und dann fuhr er fort: — „Ich hatte einen weitläuftgen Verwandten — er saß ein Jahr in der Festung Peter-Paul's — wissen Sie, auch wegen Verbindungen ...

... Aber erlauben Sie, es liegt mir auf der Seele, — Sie scheinen noch etwas böse zu sein. Ich bin ein strenger Militair, — im siebzehnten Jahre trat ich in's Regiment, — ich habe ein heftiges Temperament, aber nach einem Augenblick ist Alles vergessen. Ihren Gendarm werde ich in Ruhe lassen — hol' ihn der Teufel" —

Der Gendarm trat herein mit dem Bescheid, daß vor einer Stunde keine Pferde herbeigeschafft werden könnten. — Der Polizeimeister sagte ihm, daß er ihm, meiner Fürsprache wegen, verzeihe; dann wendete er sich zu mir und sagte: — „Sie werden mir doch meine Bitte nicht abschlagen. Als Beweis, daß Sie nicht böse sind, kommen Sie zu mir zum Frühstück, — ich wohne zwei Häuser von hier, — Sie müssen aber auf gut Glück kommen und vorlieb nehmen mit dem, was Gott schickt."

Dieser Vorschlag war so lächerlich, nachdem wir uns in solcher Art begegnet waren, daß ich zum Polizeimeister ging, seinen Caviar aß und seinen Madeira und Branntwein trank. — Er war in solchem Grade liebenswürdig, daß er mir alle seine Familienverhältnisse, ja sogar die siebenjährige Krankheit seiner Frau erzählte. — Nach dem Frühstück nahm er aus einer Urne, die auf dem Tische stand, ein Papier und überreichte es mir mit Stolz und Zufriedenheit. Es enthielt die Verse seines Sohnes, die öffentlich beim Examen im Cadettenhause vorgelesen worden waren. Als er mir solche Beweise zweifellosen Zutrauens gegeben hatte, ging er geschickt zu der indirecten Frage nach meinen Angelegenheiten über. — Für dieses Mal befriedigte ich ihn theilweise.

Der Polizeimeister erinnerte mich an einen Kreisgerichts-Secretair, von welchem mir ein Freund erzählte. Neun Kreisgerichtsräthe hatten gewechselt, während dieser Secretair unverändert auf seinem Posten blieb und immerfort in derselben Weise seinen Kreis verwaltete. — „Wie fangen Sie es an", fragte ihn mein Freund, „um mit allen diesen Vorgesetzten übereinzustimmen?" — „Nun, es läßt sich machen, mit Gottes Hülfe bringt man sich so durch. Freilich, Mancher ist anfangs aufgebracht, schlägt

7*

nach vorn und hinten aus, schreit, schimpft, droht
den Abschied zu geben oder in eine Provinz zu verschicken; — indeß unser Posten ist ein untergeord-
neter, man schweigt und denkt: Laß etwas Zeit
vergehen! der wird sich auch müde rennen; ist zum
ersten Mal vorgespannt. — Und, in der That, ehe
man sich's versieht, geht es im Gespann, wie es
nicht besser kann."

Als wir uns Kasan näherten, war die Wolga
in der vollen Höhe ihrer Frühlingsfluth. Man
mußte eine ganze Station — von Uslon nach Kasan — auf einem Floß machen, der Fluß war funfzehn Werst (wenn nicht mehr) weit aus seinen Ufern
getreten. Es war ein stürmischer Tag. Die Ueber-
fahrt war unterbrochen, eine Menge Post- und verschiedener Reisewagen warteten am Ufer.

Mein Gendarm ging zum Aufseher und forderte ein Floß. Der Aufseher gab ungern eines
und sagte, es sei besser zu warten, man könne nicht
wissen, was von einer Stunde zur anderen geschehen möge. Der Gendarm aber eilte, theils
weil er betrunken war, theils weil er seine Gewalt
zeigen wollte. — Man stellte meine Kalesche auf
ein Floß von mittelmäßiger Größe. Das Wetter
schien milder zu werden. Nach einer halben Stunde

zog der Bootsmann, ein Tatar, ein Segel auf, als plötzlich der schon besänftigte Sturm sich von neuem erhob. Wir wurden mit einer solchen Gewalt fortgeführt, daß wir unaufhaltsam gegen einen Balken trieben und dermaßen gegen ihn stießen, daß unser schwaches Floß einen Riß bekam und sich Wasser auf der Oberfläche verbreitete.

Die Lage war nicht angenehm. Doch gelang es dem Tataren, uns auf eine Sandbank zu leiten.

Dann fuhr eine Kaufmanns-Barke vorbei. Wir riefen und baten, uns ein Boot zu schicken; die Leute hörten es und fuhren weiter, ohne etwas zu thun. — Ein Bauer mit seiner Frau kam heran in einem kleinen Kahn und fragte, was an unserer Lage schuld sei. „Nun, was ist's denn weiter!" — sagte er, — „nur frisch das Loch verstopft und, sich Gott empfehlend, vorwärts! — Was ist da sich zu bedenken? — Du da, weil du ein Tatar bist, so verstehst du Nichts zu machen." — Und mit diesen Worten trat er auf unser Floß.

Der Tatar war in der That sehr erschrocken. Erstens, weil der Gendarm, als er durch das eindringende Wasser vom Schlaf erwachte, gleich aufsprang und ihn zu prügeln anfing. Zweitens, weil das Floß Krongut war. So wiederholte er denn fortwährend: — „Wenn das Floß nun untergeht,

was wird mir denn geschehen! was wird man mit
thun!" — Ich tröstete ihn damit, daß er in dem
Fall auch untergehen würde. — „Ja, gut, Bä-
terchen," antwortete er, „wenn ich auch mit er-
trinke, — aber wenn nicht?" —

Der Bauer verstopfte mit Hülfe der Andern
den Riß am Floße; er hämmerte mit seinem Beil,
nagelte ein Brett darauf, dann ging er in's Wasser bis zum Gürtel und half den Andern das Floß
von der Sandbank ziehen. So kamen wir bald
in den Strom der Wolga. — Der Fluß war
grauenvoll aufgeregt. Wind und Regen, mit Schnee
vermischt, schlugen Einem in das Gesicht, die Kälte
drang durch Mark und Bein. — Da ragte das
Denkmal Johann's des Grausamen aus Nebel und
Wasserwolken hervor; die Gefahr schien vorüber zu
sein, als plötzlich der Tatar ausrief: „Es leckt, es
leckt!" — Und wirklich brach das Wasser sich mit
Gewalt durch das verstopfte Loch Bahn. Wir waren
an der allergefährlichsten Stelle; es ging immer
langsamer und langsamer vorwärts, und der Augenblick war vorauszusehen, wo wir ganz untergehen würden.

Der Tatar nahm die Mütze ab und fing an
zu beten; mein Kammerdiener war ganz außer Fassung, er weinte und sagte zu wiederholten Malen:

„Lebe wohl, Mütterchen! ich sehe dich nicht wieder!"
— Der Gendarm schimpfte und drohte, Alle am Ufer durchzuprügeln.

Im Anfang war mir auch bange um's Herz, — dazu war man noch von Wind und Regen ganz verwirrt, — aber der Gedanke, daß es ein Unsinn wäre, hier umzukommen, ehe ich Etwas im Leben geleistet hätte — das jugendliche quid timeas? Cesarem vehis! bekam die Oberhand, und ich wartete ruhig, — überzeugt, daß ich nicht zwischen Uslon und Kasan mein Ende finden würde. — Für diese stolze Zuversicht straft uns das Leben später und gewöhnt sie uns ab. Daher ist die Jugend heldenmüthig. Aber wenn der Mensch älter wird, wird er vorsichtig und läßt sich selten hinreißen.

Durchfroren und naß bis auf die Haut erreichten wir das Ufer, ungefähr nach einer Viertel-Stunde, in der Nähe von den Mauern des Kasanschen Kremls. Ich ging in's erste beste Wirthshaus, trank ein Glas Branntwein, aß dazu ein hart gekochtes Ei und begab mich dann in's Posthaus.

In den Dörfern und kleinen Städten finden die Reisenden immer bei dem Posthalter ein Zimmer zu ihrem Gebrauch. In den großen Städten müssen alle Reisenden im Gasthause absteigen. — Ich wurde in die Schreibstube des Posthauses gebracht.

Der Posthalter zeigte mir seine Wohnstube, in welcher sich ein alter kranker Mann, der im Bett lag,
eine Frau und mehrere Kinder befanden. Es war
darin auch kein einziger Winkel, wo ich mich hätte
umkleiden können. Der Gendarm wollte sich nicht
entschließen, mich in's Gasthaus zu bringen. Ich
schrieb an den General der Gendarmen in Kasan
und bat ihn, mir irgend ein Zimmer geben zu lassen,
wo ich mich erwärmen und meine Kleider trocknen
könnte. — Es verging eine Stunde, ehe der
Gendarm zurückkam. Er sagte, der Graf Apraxin
habe befohlen, mir ein Zimmer zu geben. — Ich
wartete ungefähr zwei Stunden — Niemand kam.
Da schickte ich den Gendarmen zum zweiten Mal.
— Er brachte mir die Antwort, daß der Obrist Pol,
dem der General befohlen hatte, mir ein Quartier
zu geben, im abligen Klub Karten spiele, und daß
vor Morgen kein Quartier besorgt werden könne.

Das war barbarisch. Ich schrieb abermals an
den Grafen Apraxin und bat ihn, mich unmittelbar
weiter fahren zu lassen, da ich auf der folgenden
Station eine Herberge zu finden hoffe. — Der Graf
geruhte zu schlafen, und der Brief blieb bis zum
nächsten Morgen liegen. Es war Nichts zu machen,
ich zog meine nassen Kleider aus, wickelte mich in
den Mantel des Aufsehers und legte mich auf den

Tisch im Post-Comptoir; anstatt eines Kissens legte ich mir ein dickes Buch mit etwas Wäsche darauf unter den Kopf.

Am Morgen ließ ich mir Frühstück bringen. Die Beamten fingen an, sich zu versammeln, und der Executor machte mir die Bemerkung, daß es sich eigentlich nicht schicke, in einem Behördezimmer zu frühstücken, ihm wäre es persönlich gleichgültig, aber der Postmeister könnte sich darüber ärgern. Scherzend antwortete ich ihm, daß man nur denjenigen ausjagen könne, der das Recht habe, nach eigenem Willen auszugehen, wer aber dieses Recht nicht habe, der müsse nolens volens da essen und trinken, wo er eingesperrt sei.

Am folgenden Tage beschloß der Graf Apraxin, daß ich zwei bis drei Tage in Kasan, im Gasthause, verweilen könne.

Während dieser drei Tage irrte ich mit meinem Gendarmen in der Stadt umher. — Hier erinnert Alles an Asien, an den Orient — verschleierte Tatarinnen, die Männer mit hervorstehenden Kinnladen, orthodoxe Kirchen und Moscheen neben einander. In Wladimir, in Nijny spürt man die Nähe Moskau's, hier ist man aber weit von Moskau entfernt.

In Perm brachte man mich gerades Weges zum
Gouverneur. Bei ihm war große Gesellschaft, die
Hochzeit seiner Tochter mit einem Officier wurde gefeiert. Der Gouverneur bestand darauf, daß ich
hereinkommen solle, und so mußte ich mich in meinem Reiserock, mit Staub und Schmuß bedeckt, der
ganzen Permschen Gesellschaft vorstellen. — Der
Gouverneur schwaßte allerlei Unsinn, verbot mir,
mit den verwiesenen Polen Bekanntschaft zu machen
und sagte, ich solle nach einigen Tagen zu ihm
kommen, dann würde er mir in der Kanzlei eine
Beschäftigung verschaffen.

Dieser Gouverneur war aus Klein-Rußland,
mißhandelte die Verwiesenen nicht und war überhaupt ein ruhiger Mensch. Er hatte ganz still in
seinem Versteck seine Lage zu verbessern gewußt; wie
ein Maulwurf unter der Erde hatte er unmerklich
einen Strohhalm nach dem andern bei Seite gelegt,
so daß er für seine alten Tage in Sicherheit war.

Aus einem unbegreiflichen Control- und Ord-
nungs-Sinn hatte er eingeführt, daß alle nach
Perm Verbannten sich bei ihm Sonnabends um
zehn Uhr Morgens melden sollten. Er erschien dann
selbst mit seiner Pfeife und einem Blatt Papier,
zählte nach, ob alle gegenwärtig wären, und wenn
Jemand fehlte, so schickte er einen Commissair, um

nach der Ursache zu fragen. Er sprach fast mit
Niemand und entließ uns wieder. — Auf diese
Weise war ich in seinem Saal mit allen Polen,
vor deren Bekanntschaft er mich gewarnt hatte, bekannt geworden.

Am Tage nach meiner Ankunft reiste der Gendarm wieder zurück, und ich befand mich zum ersten
Mal nach meinem Arrest in Freiheit . . .

. . . In Freiheit . . . in einem kleinen Städtchen an der Grenze Sibiriens, ohne die geringste
Erfahrung, ohne die Gesellschaft zu kennen, in der
ich leben sollte.

Aus dem Kinderzimmer war ich in den Hör-
saal der Universität übergegangen, von da in den
Kreis meiner Freunde, — wo es sich blos um
Theorien, Schwärmereien, nicht aber um Geschäfte
handelte. Hierauf kam das Gefängniß und bildete
den Uebergang zum praktischen Leben, das hier —
neben der Uralschen Bergkette — für mich anfing.

Aber ich hatte noch nicht Zeit gehabt, mich
einzuleben, als mir der Gouverneur anzeigte, daß
ich nach Wätka übersiedeln müsse, weil ein anderer
Verwiesener, der nach Wätka bestimmt war, gebeten
hatte, nach Perm geführt zu werden, wo er Verwandte hatte. Der Gouverneur wollte, daß ich
gleich am folgenden Tage abreise. Das war nicht

möglich, denn da ich glaubte, mehrere Jahre in Perm zubringen zu müffen, so hatte ich mir allerlei Sachen angeschafft, die ich doch, wenn auch um halben Preis, wieder verkaufen mußte. — Nach mehreren ausweichenden Antworten erlaubte er mir, noch zwei Tage zu bleiben, nahm mir aber mein Ehrenwort ab, keine Gelegenheit zu suchen, den anderen Verbannten, der ankommen sollte, zu sehen.

Ich war im Begriff, am folgenden Tage mein Pferd und verschiedene Sachen zu verkaufen, als der Polizeimeister zu mir hereintrat und mir den Befehl brachte, binnen 24 Stunden die Stadt zu verlaffen. Ich erklärte ihm, daß mir der Gouverneur einen Auffchub gestattet hätte. Der Polizeimeister zeigte mir ein Papier, in welchem ihm in der That anbefohlen ward, mich binnen 24 Stunden fortzuschaffen. Dieses Papier war am selben Tage, wo meine Unterhaltung mit dem Gouverneur Statt fand, von ihm unterzeichnet.

— „Ach," sagte der Polizeimeister, — „ich verstehe! Das Ding ist klar — unser Held will die Verantwortung auf mich schieben; — wollen wir hinfahren und mit ihm sprechen?"

— „Kommen Sie!"

Der Gouverneur sagte, er habe das Versprechen vergeffen, welches er mir gegeben. Da fragte der Polizeimeister listig, ob er nicht befehle, das Papier umzuschreiben. — „Das lohnt sich nicht der Mühe," antwortete der Gouverneur mit einer einfach gutmüthigen Miene.

„Da haben wir ihn gefangen! Die Tintenseele!" sagte mir der Polizeimeister und rieb sich die Hände vor Vergnügen.

Der Permsche Polizeimeister gehörte zu dem besonderen Typus halber Civil-, halber Militair-Beamter. Diese Leute, die ein glücklicher Zufall gegen ein Bajonett gestoßen oder vor eine Kugel geschoben hat, erhalten vorzugsweise die Posten der Polizeimeister und Executoren. — Im Regiment gewöhnen sich diese Leute an eine gewisse Offenherzigkeit, prägen sich verschiedene Phrasen in's Gedächtniß von Unantastbarkeit der Ehre, Edelmuth, u. dgl., und üben sich ein in beißendem Spott über die Schreiber in den Civil-Behörden. Die jüngeren von ihnen haben Marlinsky und Sagoskin gelesen, wissen den Anfang des „Kaukasischen Gefangenen" (Puschkin's) auswendig, kennen „Woinarovsky," und citiren einstudirte Verse. So z. B. sagen Manche, jedes Mal wenn ihnen Jemand rauchend entgegenkommt, den Puschkin'schen Vers:

„Yantar v'ustach yego dimilsa."

(Der Bernstein rauchte zwischen seinen Lippen.)

Alle, ohne Ausnahme, sagen laut, daß ihre Stellung weit unter ihrem Verdienst ist, — daß einzig die Noth sie an diese „Tintenwelt" fesselt, daß, ohne die Wunden und die Armuth, sie General-Adjutanten oder Commandirende ganzer Armeecorps wären. Ein Jeder führt irgend ein auffallendes Beispiel eines seiner früheren Cameraden an, und sagt: „Da ist z. B. Kreutz, Rüdiger! — Waren wir doch zu gleicher Zeit zu Fähndrichen avancirt, — wohnten zusammen, — nannten einander Peterchen, Hänschen — — ich aber, sehen Sie, bin kein Deutscher, hatte keine Protection, — nun, deshalb sitze ich hier als Polizeiwächter. — Glauben Sie mir, es ist bitter für einen edlen Menschen mit unseren Ansichten, einen Polizeiposten zu bekleiden." — Die Weiber dieser Leute jammern noch ärger als sie, und bringen dabei jedes Jahr — mit beklommenem Herzen — ihr zurückgelegtes Sümmchen in die Leihbank von Moskau, wohin sie unter dem Vorwande, eine Mutter oder Tante zu besuchen, die krank sei und sie zum letzten Mal zu sehen wünsche, reisen. — Und in dieser Art bringen sie ihre fünfzehn Jahre zu. Der Mann klagt über das Schicksal, prügelt die Polizeidiener, prügelt die Bürger, kriecht und bückt sich vor dem Gouverneur, hilft den Dieben entkommen, stiehlt, selbst Documente und citirt Verse von Puschkin. Die Frau klagt über das Schicksal und das Leben in der Provinz, nimmt alle möglichen Geschenke von den Einwohnern an, plündert die Krämer und die Bittsteller und liebt bei mondhellen Nächten für Poesie zu schwärmen.

Ich habe mich deshalb bei dieser Charakteristik aufgehalten, weil ich anfangs selbst von diesen Herren angeführt worden bin, indem ich sie wirklich für etwas besser als die Uebrigen hielt, was aber gar nicht der Fall ist.

Am dritten Tage kam ich in Wätka an, nachdem ich ganze Bezirke, von Wotäken, Mordwinen und Tscheremissen bewohnt, durchfahren hatte.

VII.

Wâtka. — Die Kanzlei und der Speisesaal Seiner Excellenz
K. J. Tüsäyeff's.

———

Der Gouverneur von Wâtka empfing mich nicht
aber befahl, mir zu sagen, daß ich am folgenden
Morgen um zehn Uhr bei ihm erscheinen möge.

Morgens fand ich im Saal den Kreishauptmann, den Polizeimeister und zwei Beamte vor.
Alle standen, sprachen flüsternd mit einander und
sahen unruhig auf die Thüre. Die Thüre öffnete
sich, und es trat ein breitschultriger Alter von nicht
großem Wuchs herein. Der Kopf saß bei ihm wie
bei einem Bullenbeißer auf den Schultern; seine
starken Kinnladen vollendeten die Aehnlichkeit mit
dem Hunde. Sein thierisches Lächeln, sein altes
Gesicht mit einem priapischen Ausdruck, seine kleinen, scharfen, grauen Augen, wenige zu Berge
stehende Haare, alles dies machte einen unbeschreiblich
widrigen Eindruck.

Zuerst gab er dem Kreishauptmann einen derben Ausputzer für den Weg, auf dem er gestern gefahren war. Der Mensch stand vor ihm mit her-
unterhängendem Kopf, als Zeichen tiefer Ehrer-
bietung, und antwortete zu Allem, wie es vor alter
Zeit die Dienerschaft zu thun pflegte: „Ich höre,
Excellenz."

Nachher wandte er sich zu mir, sah mich frech
an und sagte:

— „Sie haben den Cursus in der Universität
zu Moskau beendigt?"

— „Ich bin Candidat."

— „Haben Sie nachher gedient?"

— „In der Kremlin'schen Expedition."

— „Ha, ha, ha! — schöner Dienst! — Freilich
haben Sie in so einem Dienst Zeit gehabt zu ju-
beln und Lieder zu singen." — „Alenizin!" rief er.

Es trat ein skrophulöser junger Mann herein.

— „Höre mal, Freund! hier ist ein Candidat
der Moskauer Universität. Er versteht wahrscheinlich Alles außer dem Dienst. Der Kaiser will, daß
er ihn bei uns lerne. Beschäftige ihn also bei dir
in der Kanzlei und berichte mir über ihn. — Morgen früh begeben Sie sich um neun Uhr in die Kanzlei; jetzt können Sie gehen. — Doch warten Sie,
ich habe vergessen zu fragen, wie Sie schreiben —"

Herzen's Verbannung.   8

Ich verstand erst nicht, was er meinte.

— „Nun, das heißt — Ihre Handschrift."

— „Ich habe Nichts bei mir, um es Ihnen zu zeigen."

— „Gieb Feder und Papier her!"

Alenizin reichte mir eine Feder.

— „Was soll ich schreiben?"

— „Was Ihnen gefällig ist", sagte der Secretair, — „schreiben Sie z. B.: nach der Untersuchung ward bewiesen."

— „Nun, Berichte an den Kaiser werden Sie nicht abschreiben", sagte der Gouverneur mit einem ironischen Lächeln.

Ich hatte schon in Perm Vieles über Tüfäyeff gehört, aber er übertraf alle meine Erwartungen. — Was producirt das russische Leben nicht Alles!

Tüfäyeff war in Tobolsk geboren. Sein Vater gehörte zu den allerärmsten Bürgern und war, glaube ich, verbannt. — Als dreizehnjähriger Knabe hatte Tüfäyeff sich an eine herumziehende Schauspielertruppe angeschlossen, welche von Jahrmarkt zu Jahrmarkt zog, um auf dem Seil zu tanzen und akrobatische Kunststücke zu machen. Er folgte ihnen aus Tobolsk nach den polnischen Provinzen, indem er dem Volke durch seine Possen Spaß machte,

Dort wurde er arretirt, Gott weiß warum, und da
er keinen Paß hatte, wurde er als Vagabund mit
einer Partie Arrestanten zu Fuß nach Tobolsk geschickt. Seine Mutter war unterdessen Wittwe geworden und lebte im größten Elend; ihr Ofen fiel
auseinander, und der Sohn mußte ihn selbst wieder
aufmauern. Es wurde nothwendig, für den Jungen
ein Gewerbe auszusuchen. Er las und schrieb ziemlich gut, und so erhielt er eine Stelle als Schreiber im Magistrat. Frech von Natur, aufgeweckt
und gut eingeschult durch die vielseitige Erziehung
bald unter den Akrobaten, bald unter den Arrestanten, mit denen er Rußland von einem Ende bis
zum anderen zu Fuß durchzogen hatte, wurde er ein
flinker Geschäftsmann.

Im Anfange der Regierung Alexanders kam
ein Revisor nach Tobolsk. Dieser hatte mehrere
Schreiber nöthig, und Jemand recommandirte ihm
den jungen Tüsäyeff. Der Revisor war mit ihm
in solchem Grad zufrieden, daß er ihm den Vorschlag machte, mit ihm nach Petersburg zu gehen. —
Tüsäyeff bekam von diesem Augenblicke an eine andere Meinung von sich selbst. Bis jetzt war sein
Ehrgeiz, wie er selbst sagte, nicht weiter gegangen
als bis zu einer Secretairsstelle in irgend einem
Kreisgerichte; von nun an schätzte er sich höher,

8*

und mit einem eisernen Willen faßte er den Entschluß, Carrière zu machen.

Und er machte Carrière. Schon nach zehn
Jahren sehen wir ihn als unermüdlichen Secretair
des General-Intendanten Kankrin. Noch ein Jahr
— und er erscheint als Geschäftsführer einer Expedition der Kanzlei Araktscheyeff's, welcher ganz Rußland regierte. Er war mit dem Grafen in Paris,
als die alliirten Truppen einzogen, saß aber die ganze
Zeit in der Kriegskanzlei und hatte buchstäblich
keine einzige Straße von Paris gesehen. Tag und
Nacht war er mit seinem würdigen Cameraden
Kleinmichel beschäftigt, Papiere aufzusetzen und umzuschreiben.

Die Kanzlei Araktscheyeff's glich insofern einer
Kupfermine, als man die Arbeiter bloß einige Monate da lassen konnte, sonst hätten sie sterben müssen. Zuletzt ward auch Tüfäyeff dieser Fabrik von
Befehlen und Ukasen müde und erbat sich einen
ruhigeren Posten.

Ein Mensch wie Tüfäyeff, ohne hohe An-
sprüche und ohne Ueberzeugungen, frei von Zer-
streutheit, scheinbar ehrlich, verzehrt von Ehrgeiz
und überzeugt, daß die Unterwürfigkeit die erste
menschliche Tugend sei, mußte natürlich ein Liebling
Araktscheyeff's werden. Araktscheyeff belohnte ihn

auch mit dem Posten eines Vice-Gouverneurs, und
nach einigen Jahren gab er ihm die Statthalterschaft
Perm. So sah jetzt Tüsäyeff zu seinen Füßen die
Provinz, durch die er ein Mal auf dem Stricke
tanzend und ein Mal mit dem Strick gebunden, gezogen war.

Die Gewalt der Statthalter wächst in geradem
Verhältnisse zu der Entfernung von Petersburg, sie
wächst aber in geometrischer Progression in denjenigen Provinzen, wo, wie in Perm, Wätka, Sibirien,
kein Adel ist. Eine solche Gegend gerade war es,
die Tüsäyeff zusagte.

Er lebte gleich einem asiatischen Satrapen, mit
dem Unterschied, daß er thätig, unruhig, ewig beschäftigt war und sich in Alles einmischte. Zugleich
glich er aber auch einem Commissair des Convents
des Jahres 1794, einem Carrier, nur daß seine
Energie und Hartherzigkeit nicht der Revolution,
sondern der Autokratie dienten.

Von einer groben Natur und liederlicher Le-
bensart duldete er keinen Widerspruch. Sein Einfluß war außerordentlich verderblich. Es hieß, er
ließe sich nicht bestechen, und doch erwies es sich
nach seinem Tode, daß er ein schönes Capitälchen
zusammengebracht hatte. Er war streng gegen seine
Untergebnen, verfolgte ohne Schonung diejenigen,

welche sich bei ihren Vergehungen ertappen ließen, und bei alledem stahlen die Beamten mehr als je. Er mißbrauchte seine Gewalt über alle Maßen; z. B. wenn er einem Beamten den Auftrag gab, irgend eine Sache gerichtlich zu untersuchen, bei welcher er selbst interessirt war, so sagte er ihm: „die Sache wird sich wahrscheinlich so und so verhalten" — und wehe dem Beamten, wenn dieser die Sache anders fand.

Perm war noch voll des Ruhmes Tüfäyeff's. Er hatte da eine Anzahl Anhänger, die gegen den neuen Gouverneur feindlich gesinnt waren, weil dieser, wie es sich von selbst versteht, sich mit seinen eigenen Anhängern umringt hatte. Doch gab es dort auch Leute, die ihn haßten. Einer von denselben, ein sehr originelles Exemplar russischer Race und russischer Textur, warnte mich besonders vor Tüfäyeff. — Ich spreche von dem Doctor eines der dortigen Bergwerke. Dieser kluge, sehr scharfblickende Mensch war, Gott weiß wie, bald nach Beendigung seiner Universitätsstudien eine sehr unglückliche Ehe eingegangen; darauf gerieth er nach Ekatherinburg und wurde ohne alle Erfahrung in den Sumpf des Lebens in der Provinz gezogen. Obgleich seine Stellung in diesem Kreise ziemlich unabhängig war, so ging er dennoch darin unter, und seine ganze

Thätigkeit reducirte sich auf Sarkasmen gegen die Beamten. Er lachte ihnen in's Gesicht und sagte ihnen die beleidigendsten Sachen begleitet von Grimassen und Fagen. Da Niemand verschont wurde, so war auch Niemand besonders böse über die scharfe Zunge des Doctors. Er hatte sich durch seine Angriffe eine Stellung in der Gesellschaft gemacht und zwang die Charakterlosen, die rastlose Geißel seines Spottes zu ertragen.

Man hatte mich im voraus vor ihm gewarnt und mir gesagt, daß er verrückt und außerordentlich dreist, dabei aber ein geschickter Arzt sei. Ich fand seine Späße und Plaudereien weder grob noch platt; ganz im Gegentheil, sie waren voller Humor und feiner Ironie, sie waren seine Poesie, seine Rache, sein Wehgeschrei, vielleicht zum Theil auch der Ausdruck seiner Verzweiflung. Er studirte den Kreis der Beamten wie ein Künstler. Als Arzt kannte er sie bis auf ihre unbedeutendsten und geheimsten Leidenschaften hinab, und ermuthigt durch ihre Unbeholfenheit und Aengstlichkeit erlaubte er sich Alles.

Zu jedem Worte fügte er hinzu: „das kostet keinen Heller." Einmal machte ich ihm im Spaß eine Bemerkung über diese ewige Wiederholung. — „Warum verwundern Sie sich darüber?" erwiederte er, „das Ziel jeder Rede ist: zu überzeugen; daher beeile ich mich immer, den allerkräftigsten Beweis, den es in der Welt giebt, hinzuzufügen. Man verfichere Jemanden, daß es keinen Heller koftet, feinen leib- lichen Vater umzubringen, fo wird er ihn umbringen.''

Er war immer bereit, wenn man von ihm kleine Summen wie 100 bis 200 Rubel Banko leihen wollte. Dann zog er feine Brieftafche her- vor und fragte genau, wann der Schuldner wieder- zuzahlen gedenke. — „Jetzt'', fagte er, „will ich mit Jhnen um einen Silberrubel wetten, daß Sie mir das Geld nicht zum beftimmten Termin wieder- zahlen werden.''

— „Aber, mein Herr'', erwiderte jener, „für wen halten Sie mich denn?''

— „Das koftet Jhnen keinen Heller'', ant- wortete der Doctor, „für wen ich Sie halte; die Sache ift aber die, daß ich feit fechs Jahren ein Buch darüber führe, daß noch kein Einziger zum beftimmten Termin gezahlt hat, ja faft Niemand hat auch nach dem Termin gezahlt.''

Der Termin verging, und der Doctor forderte ganz ernfthaft feinen gewonnenen Rubel.

Jn Perm wollte der Pächter der Branntwein- brennerei eine Reifekalefche verkaufen. Da erfchien der Doctor bei ihm und hielt ihm, ohne fich zu unterbrechen folgende Rede: — „Sie verkaufen eine

Kalesche, ich habe eine nöthig; Sie sind ein reicher Mann, sind Millionair, dafür werden Sie auch von aller Welt geachtet, und ich bin gekommen, Ihnen meine Aufwartung zu machen; als ein reicher Mann kann es Ihnen einerlei sein, ob Sie Ihre Kalesche verkaufen oder nicht; ich habe aber eine solche sehr nöthig, und Geld habe ich wenig; Sie werden mich übervortheilen wollen und es sich zu Nutze machen, daß mir die Kalesche unumgänglich nöthig ist; Sie werden dafür 1,500 Rubel fordern, ich werde Ihnen 700 anbieten, werde jeden Tag kommen um zu handeln, und nach einer Woche werden Sie den Preis herabsetzen auf 750 oder 800; — ist es also nicht besser, damit anzufangen?" — „Weit besser", antwortete der verwunderte Brennereipächter und gab ihm die Kalesche.

Am Tage meiner Abreise von Wätka kam er Morgens früh zu mir und sagte: — „Ihnen geht es wie Horaz, Sie haben Ein Mal gesungen und werden nun immerfort übersetzt *)." — Darauf nahm er sein Taschenbuch aus der Tasche und bot mir Geld für die Reise an. Ich dankte und sagte, ich hätte Nichts nöthig. — „Aber warum wollen Sie

---

*) Im Russischen ist Versetzen und Uebersetzen gleich- lautend.

es nicht nehmen? Das kostet ja Ihnen keinen
Heller." — „Ich habe Geld." —

— „Das ist ein schlimmes Zeichen", fuhr er
fort, als ich nochmals dankte, — „das Ende der
Welt nähert sich." — Er eröffnete seine Agenda
und schrieb hinein: — Zum ersten Mal, nach einer
fünfzehnjährigen Praxis, begegne ich einem Menschen, der kein Geld annimmt, und der noch dazu
im Begriff ist abzureisen.

Als er ausgespaßt hatte, setzte er sich zu mir
auf's Bett und sagte mir ganz im Ernst: — „Sie
reisen zu einem entsetzlichen Menschen. Hüten Sie
sich vor ihm und halten Sie sich von ihm so fern
als möglich. Sollte er Sie lieb gewinnen, so ist
es eine traurige Recommandation für Sie; sollte er
Sie hassen, dann wird er Sie schon klein kriegen
durch Verläumdung, Beschuldigungen und durch Gott
weiß was."

Hierbei erzählte er mir einen Vorfall, von dessen
Wahrheit ich später die Gelegenheit hatte mich nach
Documenten der Kanzlei des Ministers des Innern
zu überzeugen: —

Tüfäyeff stand in einem offenen Verhältnisse
mit der Schwester eines armen Beamten. Ueber
den Bruder wurde gespottet. Dieser wollte das Verhältniß auflösen, drohte mit einer Anklage, mit

einer Meldung nach Petersburg, kurz, lärmte so lange, bis er eines Tages von der Polizei ergriffen und vor die Provinz-Behörde gebracht wurde, damit er daselbst für toll erklärt werde.

Alle Mitglieder der Behörde, der Präsident des Gerichts, der Inspector des Medicinalraths, ein alter Deutscher, der vom Volke sehr geliebt war, und den ich persönlich kannte, — alle fanden, daß Petrovsky toll war. — Unser Arzt kannte Petrovsky und hatte ihn früher behandelt. Auch er wurde, der Form wegen, befragt. Er erklärte aber dem Inspector, daß Petrovsky keineswegs toll sei, und schlug vor, die Untersuchung zu erneuern, da er sonst die Sache weiter führen müsse. Die Obrigkeit war durchaus nicht dagegen, aber — unglücklicher Weise starb Petrovsky plötzlich im Tollhause, ohne die zweite Untersuchung abzuwarten, ungeachtet er ein junger rüstiger Mann gewesen war.

Die Sache kam nach Petersburg. Fräulein Petrovsky wurde arretirt (warum nicht Tüsäyeff?), und eine geheime Untersuchung begann. — Die Antworten wurden von Tüsäyeff dictirt; er übertraf sich selbst bei dieser Gelegenheit.

Um mit Einem Mal der Sache ein Ende zu machen und die Gefahr, zum zweiten Mal eine unfreiwillige Reise nach Sibirien zu unterwerfen, von sich

abzuwenden, brachte Tüsäyeff dem Fräulein Petrovsky
bei zu sagen, daß sie mit ihrem Bruder entzweit
gewesen sei seit der Reise Kaiser Alexander's durch
Perm, wo sie, aus Unerfahrenheit und Jugend,
ihre Unschuld verloren und dafür durch den General Solomka 5,000 Rubel erhalten habe.

Die Gewohnheiten des Kaisers Alexander waren der Art, daß dieses nicht unwahrscheinlich schien.
— Die Wahrheit zu erfahren war nicht leicht und
hätte jedenfalls viel Scandal gemacht. — Auf die
Anfrage des Grafen Benkendorf antwortete der General Solomka, daß durch seine Hände so viel Geld
gegangen sei, daß er sich dieser 5,000 Rubel nicht
erinnern könne.

. . . . La regina en aveva molto! — sagt der
Improvisator der „Egyptischen Nächte" von Puschkin.

Und dieser ehrenwerthe Zögling Araktscheyeff's,
dieser würdige Camerad Kleinmichel's, dieser Akro-
bat, Vagabund, Schreiber, Secretair und Gouverneur, dieser zartfühlende, uninteressirte Mensch,
der gesunde Leute in's Tollhaus einsperrte und sie
dort umbrachte, der den Kaiser Alexander verläum-
dete, um dem Zorne des Kaisers Nikolaus zu ent-
gehen, — nahm sich jetzt vor, mich im Dienst zu
unterrichten.

Meine Abhängigkeit von ihm war groß. Er
brauchte nur dem Minister irgend Etwas über mich
zu schreiben, und ich wäre nach Irkutsk verschickt
worden. — Und sogar wozu erst schreiben! Ohne
irgend eine Meldung, ohne jeden Vorwand hatte
er selbst das Recht, einen Jeden weiter führen
zu lassen — einerlei in was für wilde Gegend,
einen Flecken Kai oder Zarewo-Santschursk. Er
schickte einen jungen Polen nach Glasow dafür, daß
die Damen lieber mit ihm die Masurka tanzten, als
mit seiner Excellenz. In der nämlichen Art ward
der Fürst Dolgorukow aus Perm nach Werchoturie
geschickt. — Dieser Ort, in Bergen und Schnee
vergraben, wird noch zur Permschen Provinz gerechnet, gleicht aber dem Städtchen Berösow hinsichtlich des Klimas, und ist schlechter als Berösow,
weil er eine noch größere Einöde ist. Im Winter
kommt die Post nur einmal monatlich dahin.

Der Fürst Dolgorukow gehörte zu den aristo-
kratischen Müssiggängern im schlechten Sinne, denen
man in unserer Zeit nur noch selten begegnet. Er hatte
alle möglichen Streiche ausgeübt — in Petersburg, in
Moskau, in Paris, und damit sein Leben verbracht,
— ein Ismailow im kleinen Maßstab, ein Fürst
E. Grusinsky, ohne dessen Asyl für Deserteurs in
Lyskowo. — Endlich, als seine Abentheuer alle

Grenzen überstiegen, wurde ihm befohlen, in Perm zu leben.

Er kam daselbst mit zwei Wagen an; in dem einen saß er mit seinem Hunde, in dem andern saß sein Koch, ein Franzose, mit Papageien. In Perm freute man sich der Ankunft des reichen Herrn, und bald war die ganze Stadt in seinem Speisesaal versammelt. — Dolgorukow ließ sich in eine Intrigue mit einer Permschen Dame ein. Diese vermuthete, daß der Fürst ihr nicht ganz treu sei, ging eines Morgens unerwartet zu ihm und fand ihn mit einem Stubenmädchen. Hieraus entstand eine Scene, die folgendermaßen endigte: — der untreue Liebhaber nahm eine Peitsche von der Wand; die Dame errieth seine Absicht und lief fort; er, nachlässig gekleidet in einem bloßen Schlafrock, setzte ihr nach, holte sie auf einem Platz, wo das Garnisons-Bataillon exercirte, ein, versetzte der eifersüchtigen Dame mehrere Hiebe und begab sich ruhig nach Hause, als ob er etwas Gutes gethan hätte.

Durch ähnliche hübsche Späße zog er sich den Unwillen der Permschen Gesellschaft zu, und die Obrigkeit beschloß, den vierzigjährigen Brausekopf nach Werchoturje zu entfernen.

Am letzten Tage vor seiner Abreise gab er den Beamten ein splendides Mittagsmahl, und ungeachtet

fie böfe auf ihn waren, fo erfchienen fie doch alle;
Dolgorukow hatte verfprochen, fie mit einer unerhört
vortrefflichen Paftete zu bewirthen. — Die Paftete
war in der That vortrefflich und verfchwand mit
einer unglaublichen Schnelligkeit. Als nur noch die
äußere Krufte übrig war, kehrte Dolgorukow fich
zu feinen Gäften und fprach mit Pathos: — „Es
foll nicht gefagt werden, daß ich Etwas bei meiner
Trennung von Ihnen gefpart habe; geftern habe
ich meinen Hardi für die Paftete fchlachten laffen."
— Die Beamten fahen fich fchaudernd an und fuch-
ten mit den Augen den ihnen bekannten dänifchen
Hund, — er war nicht zu fehen. Der Fürft errieth
ihre Gedanken und befahl dem Diener, die Ueber-
refte Hardi's, nämlich feine Haut, zu bringen. Das
Uebrige war in den Permfchen Magen. — Die
halbe Stadt wurde vor Entfetzen unpäßlich.

Unterdeffen zog Dolgorukow triumphirend nach
Werchoturje ab und freute fich, feinen Bekannten
einen gelungenen Streich gefpielt zu haben. Dies-
mal transportirte ein dritter Reifewagen ein ganzes
Hühnerhaus; feine Hühner reiften mit Poftpferden!
— Auf dem Wege nahm er die Rechnungsbücher
von mehreren Stationen mit fich, verwechfelte fie,
änderte die Ziffern um und machte die Poftverwal-

tung faſt verrückt, — konnte ſie doch ſogar mit den Büchern die Rechnung nicht immer gut führen.

Die tödtende Leere und dumpfe Stille des öffentlichen Lebens und die damit in unglücklicher mesalliance gepaarte Lebhaftigkeit, ja aufbrauſende Unſtetigkeit des Charakters erzeugen in Rußland ſo manche Monſtruoſitäten. — In dem Krähen Suworow's wie in der Hunde-Paſtete des Fürſten Dolgorukow, im wilden Toben Ismailow's, im halb-gutwilligen Unſinn Mamonow's, ſo wie in den frechen Verbrechen Tolſtoï's des „Amerikaners,“ überall höre ich den verwandten Ton, der uns Allen bekannt iſt, der aber in Vielen von uns durch Bildung oder durch Concentration auf irgend einen Gegenſtand beherrſcht wird.

Ich habe Tolſtoï perſönlich gekannt, und namentlich in der Epoche, wo er ſeine Tochter Sara verlor, ein ſeltenes Mädchen von hoher poetiſcher Begabung. Ein Blick auf das Aeußere des Alten, auf ſeine mit grauen Locken bedeckte Stirn, ſeine blitzenden Augen, ſeinen athletiſchen Körperbau zeigte, wie ſehr ihn die Natur mit Kraft und Energie begabt hatte. Er hatte aber bloß die Leidenſchaften in ſich entwickelt, bloß die ſchlechten Neigungen, und darüber kann man ſich nicht verwundern. Bei uns wird alles Laſterhafte eine lange

Zeit ungehindert gelaffen, aber bei der erften That einer edeln menfchlichen Leidenfchaft wird man in eine Garnifon oder nach Sibirien gefchickt . . . . Zwanzig Jahre ungefähr nach einander hatte Tol-ftoi getobt, fich duellirt, Leute verftümmelt, Fami-lien ruinirt, bis er endlich nach Sibirien gefchickt wurde. Von da kam er als „Aleut" zurück, wie fich Gribojedow ausdrückt, — d. h., er entfchlüpfte durch Kamtfchatka nach Amerika, und von dort wirkte er fich die Erlaubniß aus, nach Rußland zu-rückkehren zu dürfen. Der Kaifer Alexander verzieh ihm. Aber gleich nach feiner Ankunft fing er fein früheres Leben wieder an. — Er war mit einer Zigeunerin verheirathet, die durch ihre fchöne Stimme bekannt war, und die zu einer Truppe in Moskau gehörte. Sein Haus war in ein Spielhaus ver-wandelt, Tage und Nächte vergingen im Saufen und Kartenfpielen, wobei gräßliche Scenen von Hab-gier und Trunkenheit neben der Wiege der kleinen Sara vorkamen. Man fagt, daß er einft feine Frau auf den Tifch ftellte und ihr den Abfatz am Schuh durchfchoß, um einen Beweis von der Si-cherheit feines Auges zu geben. — Sein letzter Streich hätte ihn beinahe wieder nach Sibirien geführt.

Er war fchon lange böfe auf einen Bürger

Herzen's Verbannung.   9

und fing ihn, Gott weiß wie, eines Tages bei sich im Hause, band ihm Hände und Füße zusammen und riß ihm einen Zahn aus. — Scheint es wohl wahrscheinlich, daß dieser Vorfall vor zehn oder zwölf Jahren Statt gefunden hat? — Der Bürger reichte eine Klage ein. Tolstoi bestach die Polizei sammt dem Gericht, und der Bürger wurde, „weil er gelogen hatte," in's Gefängniß gesteckt. — Zu derselben Zeit diente ein bekannter russischer Schriftsteller im Gefängniß-Comité. Der Bürger erzählte ihm seinen Vorfall, und der unerfahrene Beamte wollte seiner Klage Folge geben.. — Tolstoi erschrak — und nicht zum Spaß; die Sache schien offenbar zu seinem Nachtheil sich zu wenden. Doch groß ist „der russische Gott!" Graf Orlof schrieb dem General-Gouverneur von Moskau, Fürsten Schtscherbatof, eine geheime Mittheilung und rieth ihm, die Sache beizulegen, um dem niederen Stande keinen offenbaren Triumph über den höheren zu geben. Graf Orlof rieth auch, den Beamten-Schriftsteller von solch einem Posten zu entfernen.... Das ist fast noch unwahrscheinlicher als der ausgezogene Zahn. — Ich war damals in Moskau und kannte den unvorsichtigen Beamten sehr gut.

Kehren wir aber nach Wätka zurück. — Die
Kanzlei war ohne Vergleich schlechter als der Kerker. Was sie so unerträglich machte, war nicht
die Arbeit, sondern die Luft dieses verpesteten Kreises, die erstickend war wie die Luft in einem Hunde-
Hause, und der dumme Zeitverlust. — Alexizin
bedrückte mich nicht, er war sogar höflicher, als ich
erwartete; er hatte in einem Gymnasium in Kasan
studirt, und kraft dieses Umstands achtete er einen
Candidaten der Moskauer Universität. — Ungefähr
zwanzig Schreiber befanden sich in der Kanzlei,
meistens Leute ohne die geringste Bildung und ohne
eine Spur von Moralität. Kinder von Schreibern
und Secretairen, waren sie von der Wiege an gewöhnt, den Dienst als eine Sache, die Geld einbringt, anzusehen; die Bauern waren ihnen wie ein
Feld, von dem sie zu ernten hatten, sie ließen sich
mit zwanzig und fünfundzwanzig Kopeken Silber
bestechen, verkauften Documente, betrogen für ein
Glas Wein, kurz, begingen alle möglichen Gemeinheiten. Mein Kammerdiener hörte auf, zum Billard-
spiel zu gehen, denn er sagte, die Beamten betrö-
gen ärger als irgend Jemand, und man könne ihnen
keine Lehre dafür geben, weil sie Officiersrang hätten.

Mit diesem Volk also, welches mein Diener
nur deshalb nicht prügelte, weil es betitelt war,

9*

mußte ich jeden Tag von neun bis zwei Uhr Morgens und von fünf bis acht Uhr Abends zusammen sein.

Außer Alenizin, welcher der Hauptchef der Kanzlei war, hatte ich noch einen Tischvorsitzer. Das war kein böser Mensch, aber ein betrunkenes Geschöpf, das kaum lesen und schreiben konnte. — Am selben Tisch mit mir saßen vier Schreiber. Mit diesen war man genöthigt zu sprechen und bekannt zu sein, ja sogar auch mit allen den Uebrigen. Abgesehen davon, daß sie es für „Stolz" gehalten und mir früh oder spät dafür eine Falle gestellt haben würden, so war es geradezu unmöglich, mehrere Stunden des Tages mit den nämlichen Leuten zuzubringen, ohne mit ihnen Allen Bekanntschaft zu machen. Hierbei muß man nicht vergessen, wie die Provinzialbewohner sich an die Fremden anhängen, besonders an solche, welche aus der Hauptstadt kommen, und nun gar, wenn sie die Helden irgend einer interessanten Geschichte sind.

Zuweilen, wenn ich den ganzen Tag in dieser Hölle zugebracht hatte, kam ich in einer Art geistiger Betäubung nach Hause, warf mich auf den Divan und fühlte mich unglücklich, entkräftigt, erniedrigt, unfähig zu jeder Arbeit, zu jeder Beschäftigung. Ich sehnte mich innig nach meiner Zelle

im Gefängniß sammt ihrem Dunst, sammt ihren
Blenden, sammt dem Gendarm an der verriegelten
Thüre. Da war ich frei, that was ich wollte, Niemand hinderte mich; statt dieser platten Unterhaltungen schmutziger Menschen von gemeinen Begrif-
fen und rohen Gefühlen herrschte dort eine Todten-
stille, eine ununterbrochene Ruhe. Und wenn ich
dann dachte, daß ich nach Mittag wieder hin müßte,
und morgen wieder, dann überfielen mich oft Wuth
und Verzweiflung, und ich trank Wein und Branntwein, um mich zu trösten. — Dazu kam noch zuweilen einer von den Mitdienenden „en passant"
herauf, um die Zeit bis zu der gesetzlichen Stunde,
wo man wieder in den Dienst gehen mußte, todt-
zuschlagen.

Nach einigen Monaten wurde die Kanzlei etwas
erträglicher. — Es ist nicht im russischen Charakter,
die Bedrückung eines Menschen lange fortzuführen,
im Fall keine Persönlichkeiten oder Geldausichten
im Spiel sind. Das ist aber gar nicht deshalb,
weil der Regierung die Absicht fehlen sollte, die
Menschen zu quälen und zu Grunde zu richten, sondern es kommt von der russischen Nachlässigkeit, von
unserm laisser aller. Alle russischen Beamten sind
im Allgemeinen ungehobelt, anmaßend, frech; man
ist ihren Grobheiten sehr leicht ausgesetzt; doch ein

unaufhörliches Verfolgen eines Menschen liegt nicht in ihren Sitten, — dazu fehlt ihnen die Geduld, — vielleicht weil es Nichts einbringt. Im Anfang, um einerseits ihre Gewalt, andrerseits ihren Eifer zu zeigen, machen sie allerlei Dummheiten und Sachen, die zu Nichts führen; später aber lassen sie Einen nach und nach in Ruhe.

So ging es auch in der Kanzlei. Das Ministerium des Innern hatte damals eine Anwandlung von Lust für Statistik, ließ überall Ausschüsse zusammenberufen und schickte Programme solcher Art herum, wie man sie schwerlich in Belgien oder in der Schweiz hätte ausführen können, verlangte dabei alle möglichen Tabellen mit maximum und minimum, Durchschnittszahlen und Auszügen von Summen, die von zehn Jahren her standen (und bis vor einem Jahre nicht gesammelt wurden), endlich mit Bemerkungen über den moralischen und meteorologischen Zustand des Landes. Für das Ausziehen und Zusammenbringen der Notizen wurde kein Heller gegeben; das Alles mußte man aus Liebe zur Statistik vermittelst der Landpolizei thun und in der Kanzlei des Gouverneurs in Ordnung bringen. Die Kanzlei, die mit Arbeit überhäuft war, die Landpolizei, die einen Haß gegen alle friedlichen und theoretischen Arbeiten hegt, sahen diesen statistischen

Ausschuß wie einen unnützen Luxus, wie einen mi-
nisteriellen Spaß an. Es war aber Nichts zu
machen, die Rechnung mit Tabellen und Auszügen
mußte geschafft werden.

Die Arbeit schien Allen unmäßig schwer, ja
ganz unmöglich; dies war aber Nebensache, man
war nur darum bemüht und besorgt, keinen Ver-
weis zu bekommen. Ich versprach Alenizin, die Einleitung und den Anfang zur Tabelle mit hochtra-
benden Bemerkungen, ausländischen Wörtern, Citaten
und Staunen erregenden Angaben zu machen, unter
der Bedingung, daß er mich an diesem großen
Werke statt in der Kanzlei, zu Hause arbeiten lasse.
Alenizin besprach sich mit Tüfäyeff und willigte ein.

Meine Einleitung zum Bericht über die Arbeiten des Comité's, in der ich von Hoffnungen
und Projecten sprach, da Nichts vorhanden war,
rührte tief Alenizin's Herz. Selbst Tüfäyeff fand
sie meisterhaft geschrieben. Hiemit endigten auch
meine statistischen Arbeiten, das Comité aber wurde
unter meine Verwaltung gestellt. Ich wurde von
nun an nicht mehr geplagt mit dem Abschreiben der
Papiere in der Kanzlei, und mein Tischvorsitzer,
der Trunkenbold, wurde beinahe zu meinem Untergebenen. Alenizin forderte nur, daß ich der Schick-

lichkeit halber jeden Tag auf eine kurze Zeit in der Kanzlei erscheine.

Um zu beweisen, in welchem Grad eine wirklich ernste Tabelle unmöglich war, will ich hier einen aus der Stadt Kai zugeschickten Bericht anführen. Darin stand unter anderm Unsinn: „Ertrunkene — 2, die Ursachen des Ertrinkens sind unbekannt — 2," und in der Rubrik der Summen las man: „Vier." In der Rubrik der merkwürdigen Vorfälle stand folgende tragische Anekdote:

„Bürger N. hat sich aufgehängt, nachdem er durch erhitzende Getränke seinen Verstand gestört hatte." In der Rubrik über die Moralität der Einwohner war geschrieben: „In der Stadt Kai befinden sich keine Juden."

Indem mich die Statistik von der Kanzlei-Arbeit befreite, hatte sie aber leider zur Folge, mich in persönlichen Verkehr mit Tüfäyeff zu bringen.

Es gab eine Zeit, wo ich diesen Menschen haßte; jene Zeit ist längst vergangen, ja dieser Mensch ist selbst nicht mehr; er starb ungefähr 1845 in seinen Kasanschen Besitzungen. Jetzt denke ich ohne Zorn an ihn, wie an ein seltsames Thier, das mir im wüsten Walde begegnet war, das man hätte studiren müssen, das aber, eben weil es ein Thier war, Einen unmöglich ärgern konnte. Da-

mals war es mir nicht möglich, mit ihm nicht in
Streit zu gerathen; das war unmöglich für jeden
ehrlichen Menschen. Der Zufall war mir günstig,
sonst hätte mir Tüfäyeff dafür gewiß stark geschadet.
Aber auf ihn zürnen wegen des Uebels, das er mir
nicht gethan hat, wäre lächerlich und bedauerns-
werth.

Tüfäyeff lebte allein; er war von seiner Frau
geschieden. Die hintere Hälfte des statthalterschaft-
lichen Hauses wurde von seiner Favoritin, die sich
da, wie absichtlich, eben nicht sehr versteckte, bewohnt. Es war die Frau seines Kochs, welcher
wegen seiner Heirath in's Dorf geschickt war. Diese
Frau war nicht officiell anerkannt, aber diejenigen
von den Beamten, die dem Gouverneur ganz besonders zugethan waren, d. h. die ganz besonders
Untersuchungen befürchteten, bildeten den Hofstaat
der Frau des Kochs. Die Frauen und Töchter dieser Beamten machten ihr des Abends in's Geheim
Besuche, ohne eben damit zu prahlen. — Diese
Frau hatte denselben Takt, wodurch einer ihrer
glänzendsten männlichen Vorgänger, Potemkin, sich
ausgezeichnet hatte: sie suchte selbst für ihren Liebhaber solche Rivalinnen aus, die ihr nicht gefährlich
waren; denn sie fürchtete, ihre Stelle zu verlieren,
und kannte die Natur des Alten. Dankbar für eine

so nachsichtige Liebe, belohnte er sie durch seine Anhänglichkeit, — und sie lebten in völliger Eintracht.

Den ganzen Vormittag war Tüfäyeff in der Gouvernements-Behörde beschäftigt. Die Poesie seines Lebens fing um drei Uhr an. Der Mittag war für ihn kein Spaß, er liebte zu essen und zwar in Gesellschaft zu essen. In seiner Küche wurde immer auf zwanzig Personen gerechnet; wenn der Gäste weniger als die Hälfte kamen, war er schon betrübt; kamen nicht mehr als zwei, so war er unglücklich; erschien Niemand, da war er der Verzweiflung nahe und ging in die Gemächer seiner Schönen, um zu essen. Es wäre keine schwere Aufgabe gewesen, Leute zu finden, die sich's zur täglichen Gewohnheit gemacht hätten, sich füttern zu lassen, aber seine officielle Stellung und die Furcht, die er den Beamten einjagte, erlaubten weder diesen, seine Gastfreundschaft ungenirt zu benutzen, noch ihm, aus seinem Hause eine Restauration zu machen. Er mußte sich also auf Räthe und ·Präsidenten, (— mit vielen von ihnen war er jedoch entzweit, d. h. viele von ihnen waren bei ihm in Ungnade —) wichtige Durchreisende, reiche Kaufleute, Branntweinbrennereipächter und Sonderlinge (Etwas in der Art der capacité's, die man zu Ludwig Philipp's Zeiten in die Wahlen einführen wollte) be-

schränken. Es versteht sich, daß ich ein Sonderling ersten Ranges in Wätka war.

In den entlegenen Städten fürchtet man diejenigen etwas, die „ihrer Meinungen halber" dahin
verbannt worden sind, aber deshalb verwechselt man
sie auch keineswegs mit den gewöhnlichen Sterb-
lichen. „Gefährliche Leute" haben für die Einwohner der Provinzen denselben Reiz, den Frauen in
berühmten Lovelacen und Männer in Courtisanen
finden. „Gefährliche Leute" werden weit mehr
von den Petersburger Beamten und den Moskauer
Großherrn, als von den Provinzbewohnern, besonders in Sibirien, gemieden. — Die wegen des
14. (26.) December (1825) Exilirten genossen der
höchsten Achtung. — Münich, im Thurm in Pelim,
verwaltete die ganze Provinz von Tobolsk. Die
Gouverneure gingen zu ihm, um sich mit ihm über
wichtige Angelegenheiten zu berathschlagen. — Das
gemeine Volk ist noch weniger feindselig gegen die
Exilirten gestimmt; es ist überhaupt auf der Seite
der Bestraften. An der Gränze von Sibirien ver-
schwindet der Name „Verwiesener" und wird durch
den Namen „Unglücklicher" ersetzt. In den Augen
des russischen Volkes ist ein Mensch noch keineswegs
befleckt, der vom Gericht verurtheilt ist. In der
Permschen Provinz, auf der Straße von Tobolsk,

ſieht man oft die Bauern Milch, Brod, Kwas (eine
Art Bier) an's Fenſter hinſtellen für den Fall, daß
„ein Unglücklicher" ſich aus Sibirien retten ſollte.

A propos über die Exilirten! — Ju Niſny
begegnet man verbannten Polen, in Kaſan nimmt
ihre Zahl bedeutend zu. In Perm waren damals
vierzig, in Wätka nicht weniger; außerdem findet
man ihrer in jeder Kreisſtadt mehrere.

Sie lebten ganz abgeſchloſſen von den Ruſſen
und fern von jedem Verkehr mit den Einwohnern.
Unter ihnen herrſchte die größte Eintracht, aber kein
Ruſſe hatte Zutritt zu ihren Geſellſchaften. — Von
Seite der Einwohner ſah ich weder Haß noch beſondere Zuneigung zu ihnen. Sie betrachteten ſie
wie Fremde, und dazu kam noch, daß faſt kein einziger Pole die ruſſiſche Sprache verſtand.

Ein greiſer verſtockter Sarmat, der Ulanen-
Officier zu Poniatowsky's Zeiten geweſen war und
einen Theil der Napoleoniſchen Feldzüge mitgemacht
hatte, erhielt im Jahre 1837 die Erlaubniß, in
ſeine Litthauiſchen Beſitzungen zurückzukehren. Am
Tage vor ſeiner Abreiſe lud der Alte mich und
einige Polen zum Mittageſſen ein. Nach Mittag,
als mein Ulan etwas luſtig geworden war, näherte
er ſich mir mit dem Pocal, umarmte mich zärtlich
und ſagte mir mit kriegeriſcher Geradheit in's Ohr:

„Aber warum sind Sie denn ein Russe!" — Ich antwortete Nichts, aber diese Bemerkung machte auf mich einen tiefen Eindruck. Ich begriff, daß diese Generation Polen nicht befreien würde.

Seit Konarsky aber werden die Russen von den Polen ganz anders angesehen.

Die verwiesenen Polen wurden überhaupt nicht schlecht behandelt, aber für die Unbemittelten ist die materielle Lage schrecklich. Von der Regierung erhalten sie nur 15 R. Banko monatlich; von diesem Gelde müssen sie sich Quartier, Heizung, Nahrung und Kleidung bestreiten. In den größeren Städten, wie Kasan und Tobolsk, kann man sich durch Unterrichtgeben, Concerte, Tanzcurse und Spielen auf Bällen Etwas verdienen. Aber in Perm und Wätka gab es auch diese Quellen nicht. Und dessen ungeachtet erbitten sie sich Nichts von den Russen.

———

Die Einladungen zu Tüfäyeff's üppigen, sybaritischen Mittagessen waren für mich eine wahre Strafe. Sein Speisesaal war wiederum die Kanzlei, nur in einer anderen Form, weniger schmutzig, aber viel gemeiner, da man in demselben, dem Scheine nach, freiwillig, und nicht aus Zwang sich einfand.

Tüfäyeff kannte seine Gäste durch und durch,

verachtete fie, zeigte ihnen bisweilen die Klauen, und behandelte fie im Allgemeinen wie ein Herr feine Hunde — bald mit allzugroßer Familiarität, bald mit einer folchen Grobheit, daß es alle Gren= zen überftieg; und dennoch lud er fie ein, bei ihm zu effen, und fie erfchienen, zitternd und zugleich recht froh, erniedrigten fich, klatfchten, fchmeichelten, lächelten und verbeugten fich. — Ich erröthete für fie.

Auch dauerte meine Freundfchaft mit Lúfáyeff nicht lange. Er errieth bald, daß ich nicht für die „höhere" Wätka'fche Gefellfchaft paffe. — Nach einigen Monaten ward er mit mir unzufrieden; es verfloffen noch einige Monate, und er haßte mich; ich befuchte nicht nur feine Mahlzeiten nicht, fondern ich ging überhaupt nicht mehr zu ihm. Eine Reife des Thronfolgers durch Wätka rettete mich vor fei= nen Verfolgungen, wie wir es fpäter fehen werden.

Ich muß bemerken, daß ich durchaus gar Nichts gethan hatte, zuerft um feine Aufmerkfamkeit und feine Einladungen, nachher um feine Mißgunft und feinen Zorn auf mich zu ziehen. Er konnte nicht vertragen, in mir einen Menfchen zu fehen, der ein unabhängiges, keineswegs aber ein freches, Betragen hatte; ich war mit ihm immer en règle, das war ihm aber nicht genug — er forderte Schmeichelei.

Er liebte seine Gewalt mit Eifersucht; er hatte sie im Schweiße seines Angesichts erworben, und daher forderte er nicht den Gehorsam allein, sondern dazu noch die M i e n e einer unbedingten Unterwerfung.

Leider war er hierin — national.

Der Gutsbesitzer pflegt seinem Diener zu sagen: „Schweige! ich dulde keine Antworten."

Ein Departements-Chef wird blaß, wenn einer seiner Untergebenen ihm Einwendungen macht, und sagt ihm: „Sie vergessen sich! wissen Sie wohl, mit wem Sie sprechen?"

Der Kaiser verweist „f ü r M e i n u n g e n" nach Sibirien, quält Menschen wegen ein Paar V e r f e n in den Casematten zu Tode —

Und alle drei sind eher bereit, Diebstahl, Bestechung, Raub und Mord zu verzeihen, als die Frechheit der menschlichen Würde und die Dreistigkeit einer freien Rede.

Tüfäyeff war ein echter Kaisersdiener, — er wurde geschätzt, doch nicht genug. Bei ihm war byzantinisches Sclaventhum mit büreaukratischer Ordnung auf seltene Weise in Harmonie. Die Vernichtung seines Selbst, die Lossagung vom eigenen Willen und Denken der Gewalt gegenüber gingen bei ihm Hand in Hand mit dem harten Joch, das

er über seine Untergebenen verhängte. Er war ganz
geeignet, ein zweiter Kleinmichel zu werden; sein
„Eifer" würde gleichfalls „Alles überwunden"*), er
würde eben so gut die Wände des Winterpalastes
mit Menschenleichen aufgemauert, mit Menschen-
Lungen ausgetrocknet haben; er hätte eben so gut
— nein noch besser — die jungen Leute aus dem
Ingenieur-Corps geprügelt, dafür daß sie keine De-
nunzianten waren.

Tüsäyeff hatte gegen alles Aristokratische einen
lebhaften, tiefgewurzelten Haß, zufolge bitterer Er-
fahrungen. Araktscheyeff's Kanzlei — eine wahre
Galeere — war für ihn der erste Hafen der Befreiung. Früher boten ihm seine Vorgesetzten nie
einen Stuhl an und gebrauchten ihn zu kleinlichen
Aufträgen. Als er in der Intendantur diente, verfolgten ihn die Officiere auf militairische Art, und
in Wilna hat ihn ein Obrist auf der Straße mit
seiner Reitpeitsche geschlagen... Dies Alles war in
des Schreibers Herzen zur Frucht gereift; jetzt, als
Gouverneur, war an ihm die Reihe zu bedrücken,
keinen Stuhl anzubieten, die Leute zu duzen, lau-

---

*) Devise, welche Kleinmichel, nach der Erbauung des
Winterpalastes, bei seiner Erhebung in den Grafenstand, von
Nikolaus in das Wappen gegeben wurde.

ter, als nöthig war, zu sprechen und zuweilen Edelleute von alten Familien vor Gericht zu stellen.

Aus Perm war er nach Twer versetzt. Der
Adel, trotz seiner Nachgiebigkeit und seines knechti-
schen Sinnes, konnte Tüfäyeff nicht ausstehen. Der
Adel bat Minister Bludow, ihn aus Twer zu entfernen. Bludow versetzte ihn nach Wätka.

Hier fühlte er sich von neuem in seiner Sphäre.
Hier gab es nur Beamte und Pächter von Brannt-
weinbrennereien, Bergwerkbesitzer und Beamte, daß
es eine Lust war. Alles zitterte und stand auf vor
ihm, Alles traktirte ihn und sah ihm seine Wünsche
an den Augen ab; bei Hochzeiten und Namensfesten
war der erste Toast: „auf die Gesundheit Seiner
Excellenz" . . . .

VIII.

Die Beamten. — Die General-Gouverneure in Sibirien. —
Ein raubsüchtiger Polizeimeister. — Ein zahmer Richter. —
Ein gebratener Kreishauptmann. — Ein Tatarapostel. —
Ein Knabe weiblichen Geschlechts. — Der
Kartoffel=Terror, u. A.

Eines der bedauernswerthesten Resultate der
von Peter I. gemachten Umwälzungen ist die Entwicklung des Beamten-Standes. Diese widernatür-
liche, ungebildete, hungrige Menschenklasse, welche
Nichts als das „Dienen" versteht, Nichts außer Bü-
reau-Formalitäten kennt, stellt eine Art von säcu-
lärer Geistlichkeit vor, die in den Gerichts- und Po-
lizei-Höfen ihren Gottesdienst verrichtet und mit
tausend gierigen, unreinen Mäulern das Blut des
Volkes saugt.

Gogol hat eine Seite des russischen Beamten-
thums entschleiert und es in all' seiner Häßlichkeit

dargestellt, aber er besänftigt uns dennoch unwill-
kürlich — durch sein Gelächter; sein großes Talent
zur Komik gewinnt die Oberhand über seine Entrüstung. Ueberdem, gefesselt von der russischen Censur, war es ihm schwer möglich, die traurigen Seiten dieser schmutzigen Unterwelt ganz aufzudecken, in
welcher die Geschicke des armen russischen Volkes
geschmiedet werden.

Dort, in jenen verräucherten Kanzleien, die
wir uns beeilen wollen zu verlassen, sitzen zerlumpte
Leute und schreiben — schreiben auf grauem Papier, schreiben ab auf Stempelpapier — und sieh!
Individuen, Familien, ganze Gemeinden sind be-
einträchtigt, in Schrecken versetzt, ruinirt. Der Vater wird nach den Colonien, die Mutter in's Gefängniß, der Sohn in ein Regiment geschickt, und
das Alles überfällt die Familie wie ein Gewitter,
unerwartet, meistentheils unverschuldet. Weshalb
denn? — Um des Geldes willen . . . . Schnell die
Collecte! — sonst wird euch eine Untersuchung aufgehängt und ihr werdet straffällig gefunden werden
wegen einer unweit von euch aufgefundenen Leiche
irgend eines Trunkenboldes, der durch den Wein
aufgebrannt oder vor Kälte erfroren ist! — Und
das Haupt des Dorfes sammelt Geld, und der
Starost (der Altmann) sammelt Geld, und die

10*

Bauern bringen ihren letzten Heller. Denn der
Polizeicommissair muß doch leben; der Kreishauptmann muß doch leben und seine Frau erhalten; der
Rath muß leben und seine Kinder erziehen, — er
ist ein musterhafter Vater....

Das Beamtenthum herrscht unumschränkt in
den nordöstlichen Provinzen Rußlands und in Sibirien, da hat es sich ganz in die Weite und Breite,
rücksichtslos entwickelt. — Die Entfernung von der
Hauptstadt ist ungeheuer, daher nehmen da alle
Dienenden an den Gelderpressungen Theil, das
Stehlen ist da zu einer res publica geworden. Es-
gar die kaiserliche Gewalt, die wie mit Kartätschen
drein schlägt, kann diesen zugeschnetten Morast nicht
durchbohren. Alle Maßregeln, welche die Regierung
genommen hat, werden geschwächt, alle ihre Absichten — verunstaltet; sie wird betrogen, zum Narren gehalten, verrathen, verkauft, und das Alles
geschieht mit der Miene einer allerunterthänigsten
Unterwürfigkeit und mit Beobachtung aller büreau-
kratischen Formen.

Speransky hat versucht, das Loos des sibirischen Volkes zu mildern. Er führte überall in die
Verwaltung das collegialische Princip ein, — als
ob es darauf ankäme, wie gestohlen wird, einzeln
oder bandenweise. Zu Hunderten schaffte er die

alten Schelme ab, und zu Hunderten setzte er neue
ein. Im Anfange hatte er der Landpolizei eine
solche Furcht eingejagt, daß die Beamten den Bauern
Geld zahlten, damit sie nur keine Klagen ein-
reichen möchten. Ein Paar Jahre darauf aber be-
reicherten sie sich nach den neu vorgeschriebenen Formen — nicht weniger, als sie es nach früheren
thaten.

Es fand sich ein anderer Sonderling, der General Welyaminov. Während zweier Jahre bestrebte
er sich, in Tobolsk den Mißbräuchen ein Ende zu
machen; als er aber einsah, daß seine Bemühungen
ohne Erfolg blieben, gab er Alles auf und ließ die
Geschäfte gehen, wie sie wollten.

Andere, die klüger waren als er, machten gar
keine Verbesserungs-Versuche, sondern stopften sich
selbst die Taschen voll und ließen die Uebrigen
Dasselbe thun.

— „Ich werde die Bestechungen an der Wurzel
ausrotten", sagte Senäwin, der Gouverneur von Moskau, zu einem alten Bauer, der ihm eine Klage
über eine offenbare Ungerechtigkeit einreichte. —
Der Alte lächelte.

— „Worüber lachst du denn?" fragte Senäwin.

— „Verzeih, Vater", antwortete der Bauer,
„mir fiel ein, wie einer von unseren Burschen sich

rühmte, die große Zaarkanone in Moskau aufheben
zu können, und er versuchte es wirklich, aber — er
hob sie nicht auf."

Senäwin, der diese Anekdote selbst erzählte,
gehörte zu der geringen Zahl der ehrlichen, aber
nicht praktischen Leute im russischen Dienste, welche
glauben, daß man mit rhetorischen Wendungen und
despotischer Verfolgung von zwei bis drei Schelmen
dieser allgemeinen Pestechungskrankheit abhelfen
könne.

Dagegen giebt es nur zwei Mittel: die Oeffent-
lichkeit und eine völlig andere Organisation der ganzen Staatsmaschine; — Wiederherstellung der alt-
nationalen Schiedsgerichte, der mündlichen Procedur,
der Geschwornen, das heißt, alles dessen, was der
Petersburger Regierung so sehr verhaßt ist.

Pestel, der General-Gouverneur von West-Si-
birien (Vater des berühmten Pestel's, der von Nikolaus zum Tode verurtheilt worden ist), war ein
ächt römischer Proconsul, und zwar von der aller-
grausamsten Art. Er führte ein systematisches öffent-
liches Plündern in der ganzen Gegend, die er durch
seine Spione von Rußland abgeschlossen hielt, ein.
Kein einziger Brief kam über die Grenze, ohne er-
brochen zu sein, und weh demjenigen, der es wagte,
Etwas über seine Verwaltung zu schreiben. Kauf-

leute erſten Ranges wurden jahrelang in Gefäng-
niſſen, in Ketten gehalten, ja er ließ ſie foltern.
Beamte wurden von ihm auf die Grenze Oſt-Sibi-
riens verſchickt und dort zwei bis drei Jahre gelaſſen.

Das Volk duldete lange; endlich entſchloß ſich
ein Bürger aus Tobolsk, die Lage der Dinge zu
Ohren des Kaiſers zu bringen. Er ging zuerſt nach
Kächta, und von da kam er mit einer Thee-Cara-
vane über die ſibiriſche Grenze, — ſo ſehr fürchtete
er, geraden Weges aus Tobolsk nach Petersburg zu
reiſen. In Zarsko-Selo fand er die Gelegenheit,
dem Kaiſer Alexander ſeine Bittſchrift zu überreichen,
und flehte ihn an, ſie durchzuleſen. Alexander war
erſtaunt und überraſcht von den ſchrecklichen Nachrichten, die er las. Er rief den Bürger zu ſich,
ſprach lange mit ihm, überzeugte ſich von der traurigen Wahrheit der Anklage und ſagte ihm endlich,
betrübt und betroffen: „Gehe jetzt nach Hauſe,
Bruder, dieſe Sache ſoll unterſucht werden.“

— „Ew. Majeſtät, ich gehe jetzt nicht wieder
nach Hauſe“, antwortete der Bürger. „Lieber befehlen Sie, mich in ein Gefängniß einzuſperren. Mein
Geſpräch mit Ihrer Majeſtät wird nicht geheim
bleiben — man wird mich todtſchlagen.“

Alexander fuhr zuſammen und ſagte zu Miloradowitsch, der damals General-Gouverneur von Petersburg war: „Du stehst mir für ihn!" — „Dann erlauben mir Ew. Majestät", erwiederte Miloradowitsch, „daß ich ihn zu mir in's Haus nehme". — Und so geschah es, der Bürger blieb da, bis die Sache beendigt war.

Pestel wohnte fast immer in Petersburg, gerade wie auch die Proconsuln immer in Rom wohnten. Durch seine Gegenwart und seine Bekanntschaften, besonders aber dadurch, daß er die Früchte seines Raubes theilte, kam er allen unangenehmen Gerüchten und Anklagen zuvor*).

Der Reichsrath benutzte die Abwesenheit Alexanders, der in Verona oder in Aachen war, und beschloß Klugheits- und Gerechtigkeitshalber: da es sich in der Sache um Sibirien handele, die Untersuchung derselben an Pestel selbst zu übertragen, der überdieß gerade gegenwärtig sei. Miloradowitsch,

---

*) Dieser Umstand, daß Pestel fortwährend in Petersburg sich aufhielt, gab dem Grafen Rostoptschin Gelegenheit, folgendes scharfe Wort zu sagen. Beide speisten einst beim Kaiser. Dieser stand am Fenster und fragte: „Was ist das Schwarze da — an dem Kreuze auf der Kirche?" — „Ich sehe nicht deutlich", sagte Rostoptschin, „das muß man Pestel fragen, er hat vortreffliche Augen, — sieht von hier was in Sibirien geschieht."

Mordwinov und noch ein Paar Mitglieder wider=
setzten sich aber diesem Beschluß, und die Sache kam
vor den Senat.

Der Senat half Pestel heraus mit jener em=
pörenden Ungerechtigkeit, mit welcher in Rußland
beständig höhere Beamte abgeurtheilt werden; Pestel
wurde blos aus dem Dienst entlassen, während Tres=
kin, der Civil=Gouverneur von Tobolsk, seiner
Adels= und Rangs=Rechte beraubt und verschickt
wurde.

Als Pestel's Sohn zum Tode verurtheilt war,
kam der Vater, um von ihm Abschied zu nehmen.
Man sagt, daß er in Gegenwart der Spione und
Gendarmen den Sohn mit Vorwürfen und Schelten
überschüttet habe, um seine grenzenlose Unterthänig=
keit dem Kaiser zu beweisen. Er schloß seine väter=
liche Rede mit der Frage: „Und was blieb dir noch
zu wünschen?" —

— „Das ist zu lang, um es zu erzählen", ant=
wortete der tief gekränkte Sohn, — „ich hatte unter
Anderem im Sinne, solche Statthalter, wie Sie einer
waren, unmöglich zu machen."

Nach Pestel kam Kapzewitsch, ein Mensch aus
der Schule Arakitscheyeff's, als General=Gouverneur
nach Tobolsk. Von Galle gelb geworden, mager,
Tyrann von Natur und Tyrann durch den Militair=

Dienst von Jugend auf, ein Kleinigkeitskrämer, brachte er Alles in Reihe und Glied, bestimmte maxima der Preise, ließ aber die gewöhnlichen Geschäfte in den Händen von Räubern. — Im Jahre 1824 wollte der Kaiser Tobolsk besuchen. Durch die Perm'sche Provinz fährt ein breiter, schöner Weg, der schon längst eingefahren und wahrscheinlich Dank der Beschaffenheit des Bodens so gut ist. In Zeit von einigen Monaten ließ Kapzevitsch einen eben solchen Weg bis nach Tobolsk machen. Im Frühjahr, beim Aufthauen des Schnees und bei Frost, zwang er Tausende von Arbeitern, Hand anzulegen, sie wurden aus den nahen und den entfernten Ansiedelungen herbeigeschafft, es entstanden Krankheiten, die Hälfte der Arbeiter starb, aber — „Eifer überwindet Alles", — der Weg ward gemacht.

Ost-Sibirien wird mit noch mehr Nachlässigkeit verwaltet. Von da ist die Entfernung schon so groß, daß die Nachrichten Petersburg kaum erreichen. In Irkutsk war ein General-Gouverneur, der sich ein Vergnügen daraus machte, in der Stadt mit Kanonen schießen zu lassen, allemal wenn er berauscht war; ein Anderer pflegte im betrunkenen Zustande sich in einen vollen priesterlichen Ornat zu werfen und so bei sich zu Hause, in Gegenwart des

Bischofs, den Gottesdienst zu verrichten. Doch war das Lärmen des Einen und die Andacht des Andern nicht so verderblich, wie der von Pestel eingeführte Belagerungszustand und die rastlose Thätigkeit Kapzewitsch's.

Schade daß Sibirien so schlecht verwaltet wird! Die Wahl der General-Gouverneure ist besonders unglücklich ausgefallen. Ich weiß nicht, wie sich Murawieff*) benimmt; er ist wegen seines Verstandes und seiner Fähigkeiten bekannt; die übrigen waren aber Taugenichtse. — Sibirien hat eine große Zukunft. Jetzt wird es blos angesehen wie ein Behälter, in welchem viel Gold, Pelzwaaren und andere Naturprodukte sich befinden, der aber kalt, zugeschneit, arm an Lebens- und Communications-Mitteln, und unbevölkert ist. Das ist aber nicht richtig.

Die Alles tödtende russische Regierung, die nur durch Zwang und durch den Stock Etwas hervorbringt, versteht es nicht, denjenigen Lebensimpuls zu geben, der Sibirien mit amerikanischer Schnelligkeit vorwärts treiben würde. Wir wollen sehen, was dann sein wird, wenn die Mündung

---

*) Gegenwärtiger General-Gouverneur von Ost-Sibirien.

des Amur für die Schifffahrt geöffnet sein und Amerika sich mit Sibirien neben China begegnen wird.

Ich habe längst gesagt, daß der Stille Ocean das Mittelländische Meer der Zukunft ist. Zwischen diesem Ocean, Süd-Asien und Rußland gelegen, muß in der Zukunft Sibirien eine sehr wichtige Rolle spielen. Allerdings muß es sich zur chinesischen Gränze neigen; warum sollte man in Berösow und Jakutsk frieren und zittern, wenn man ein Krasnojarsk hat?

Selbst im Stammcharakter der russischen Bevölkerung Sibiriens liegt Etwas, das eine andere Entwicklung ankündigt. Der sibirische Stamm ist überhaupt gesund, wohlgebaut, verständig und höchst überlegt. Kinder von Ansiedlern, wie sie sind, kennen die Sibirier Nichts von einer Gutsherrn-Gewalt. Adel giebt es dort nicht und daher auch keine Aristokratie in den Städten, die Beamten und die Offiziere, die Repräsentanten der Gewalt, sind eher einer feindlichen Garnison, die von den Ueberwindern eingesetzt ist, als einer Aristokratie ähnlich. Die ungeheuern Entfernungen schützen die Bauern vor häufigem Verkehr mit ihnen; Geld schützt die Kaufleute, welche in Sibirien die Beamten verachten und ihnen nur zum Schein nachgeben, sie aber in der That für das ansehen, was sie auch wirklich sind, nämlich für ihre Commis in Civil-Angelegenheiten. — Die Uebung in den Waffen, welche für den Sibirier allerorten nothwendig ist, die Gewohnheit, Gefahren zu begegnen, hat den sibirischen Bauer weit kriegerischer, gewandter und widerstandsfähiger gemacht, als den Groß-Russen. Die weiten Strecken, die ihn oft von den Kirchen trennen, haben seinen Geist freier von Aberglauben gelassen, als dies bei den Russen der Fall ist; er verhält sich kalt zur Religion, ist meistens ein Seltirer. In manches entlegene Dorf kommt der Pfaffe nur drei Mal im Jahre; dann tauft er, beerdigt er, traut und läßt beichten für all die verflossene Zeit.

Diesseits der Uralschen Bergkette wird die Verwaltung auf eine etwas bescheidnere Weise betrieben, und dennoch könnte ich ganze Bände mit Anekdoten anfüllen über die Mißbräuche und die Schurkereien der Beamten, die ich während meines Dienstes in der Kanzlei und im Speisesaal des Gouverneurs gehört habe.

— „Das war mal ein Professor,“ — sagte mir einst im vertraulichen Gespräch der Polizeimeister von Wätka, — „mein Vorgänger! — So läßt es sich freilich leben, aber dazu muß man geboren

sein. Das war, kann man sagen, in seiner Art
ein Seslawin, ein Figner"*) — und die Augen
des hinkenden Majors, der für eine Wunde zum
Polizeimeister befördert worden war, glänzten beim
Andenken des vortrefflichen Vorgängers.

„Unweit der Stadt," fuhr er fort, „hatte sich
eine Schaar Diebe gezeigt; es war einmal und
wieder einmal der Obrigkeit gemeldet worden; bald
waren Waaren bei einem Kaufmann geplündert, bald
Geld beim Verwalter der Branntweinpächterei ge-
raubt. Der Gouverneur ist aufgebracht, schreibt
einen Befehl nach dem andern. Nun, Sie wissen
es wohl, die Landpolizei ist furchtsam; gilt es irgend einen kleinen Dieb zu fangen und ihn vor's
Gericht zu bringen, so thut sie es, hier aber handelte es sich um eine ganze Bande, die vielleicht
noch gar mit Flinten versehen war. Die Landpolizei richtete Nichts aus. Da ruft der Gouverneur
den Polizeimeister der Stadt und sagt ihm: —
„Ich weiß wohl, daß dieses Ihren Dienst durchaus nicht angeht, aber Ihre Geschicklichkeit veran-
laßt mich, mich an Sie zu wenden." — Der Polizeimeister hatte schon von der Sache gehört und

*) Dies waren bekannte Anführer von Bauernbanden,
die in den Jahren 1812 und 1813 eine Art von Guerilla-
Krieg gegen die Franzosen führten.

antwortete: „General, in einer Stunde begebe ich mich auf den Weg. Die Diebe müssen da und da sein, ich nehme eine Compagnie Soldaten mit mir, werde sie am besagten Ort finden und nach zwei oder drei Tagen bringe ich sie in's Stadt-Gefängniß." — Gleicht das nicht dem Suwaroff beim österreichischen Kaiser? — Gesagt, gethan! Mit seinem Commando überfiel er die Diebe und brachte sie in die Stadt; diese hatten nicht einmal die Zeit gehabt, das Geld zu verstecken, der Polizeimeister nahm Alles zu sich."

„Nun fängt der Proceß an. Der Polizeimeister fragt: „Wo ist das Geld?"

— „Wir haben es Dir ja selbst in die Hände gegeben," antworteten zwei Diebe.

— „Mir?" sagt der Polizeimeister bestürzt.

— „Dir, Dir!" rufen die Diebe.

— „Das ist mal eine Frechheit," sagt er, vor Zorn erblassend, zu dem Commissair, — „ihr Schelme werdet noch gar behaupten, ich habe mit euch zusammen geplündert! — Ich werde euch zeigen, was das heißt, meine Uniform besudeln! Ich bin Ulanen-Cornet und erlaube Niemandem, meine Ehre anzutasten!"

„Da ließ er sie prügeln, — sie sollten gestehen, wo das Geld versteckt wäre. — Die Diebe bestanden auf ihrer Aussage. Als er aber befahl, ihnen auf zwei Pfeifen zu versetzen, da rief der Hauptbandit: „Wir sind schuld, das Geld ist verjubelt."

— „Nun endlich!" sagte der Polizeimeister, — „mich, Brüder, werdet ihr nicht so leicht anführen."

— „Richtig, wir müssen bei Ihro Hochwohlgeboren lernen, nicht Sie bei uns," — murmelte der älteste der Schelme, indem er mit Verwunderung den Polizeimeister ansah. — Und dafür hat er ja das Wladimir-Kreuz in's Knopfloch bekommen" . . . .

„Erlauben mir, Sie zu fragen," — sagte ich, indem ich jenen in der Lobrede des großen Polizeimeisters unterbrach, — „was heißt das: auf zwei Pfeifen versetzen?"

„Das ist bei uns so ein familiärer Ausdruck. Man langweilt sich manchmal, während gestraft wird; man läßt also die Ruthen geben und raucht dabei seine Pfeife; gewöhnlich ist die Strafe zu Ende, wenn gerade die Pfeife ausgeraucht ist. Aber in Extra-Fällen befiehlt man, die guten Leute für das Zeitmaß zweier Pfeifen zu traktiren. Die Polizeidiener sind gewohnt und wissen schon ungefähr, wie viel Hiebe sie dann zu geben haben."

Als Seitenstück zu diesem Raub-Beamten will ich Ihnen eine andere, entgegengesetzte Species darstellen — den milden, mitleidsvollen, zahmen Beamten.

Unter meinen Bekannten hatte ich einen ehrbaren alten Ex-Kreishauptmann, welcher von den Geschäften entfernt worden war zufolge einer Revidirung, die ein Senator in seiner Provinz vorgenommen hatte. Er gab sich mit Aufsetzen von Bittschriften und mit Betreibung von Privat-Angelegenheiten bei den Behörden ab, d. h. mit eben dem, was ihm bei seiner Dienstentsetzung verboten war. Vor dreißig Jahren war er in den Staatsdienst getreten, er stahl, verfälschte Documente, sammelte trügerische Angaben in drei Provinzen ein, war zwei Mal vor Gericht, u. s. w. Dieser Veteran der Landpolizei pflegte gern wunderliche Anekdoten von sich selbst und von seinen Commilitonen zu erzählen, ohne dabei seine Verachtung gegen die entarteten Beamten der neuen Generation zu verhehlen.

„Das sind Windbeutel," sagte er, — „freilich nehmen sie auch, ohne das kann man nicht leben; aber was, so zu sagen, Gewandtheit oder Kenntniß der Gesetze heißt, das würden Sie bei ihnen vergebens suchen. Ich will Ihnen das Beispiel eines meiner Freunde anführen. — Zwanzig Jahre lang

Herzen's Verbannung.　　　　11

ist er Richter gewesen, vergangenes Jahr ist er gestorben. Das war ein Kopf! — Er hat kein schlechtes Andenken von sich unter den Bauern hinterlassen und hat auch den Seinigen ein Stück Brod vermacht. Der Mensch hatte eine ganz besondere Manier.

Kam ein Bauer zu ihm mit irgend einer Bitte, gleich ließ er ihn vor sich und war sehr freundlich und gütig mit ihm.

— „Wie ist dein Name, Alter," sagte er ihm, „und wie hieß dein Vater?"

Der Bauer verbeugt sich. — „Jermolap ist mein Name, mein Vater wurde Grigor geheißen."

— „Guten Tag denn, Jermolap Grigoriewitsch, — aus welcher Gegend kommen Sie mit Gottes Hülfe?"

— „Wir sind aus Dubilowo."

— „Kenne, kenne den Ort; — die Mühlen da, rechts vom Wege, sind wohl euer?"

— „Ganz recht, die Mühlen gehören unserer Gemeinde."

— „Ein wohlhabendes Dorf — gutes Land — Dammerde."

— „Richtig, mein Gönner — können bei Gott nicht klagen."

— „Das thut aber auch noth. Du z. B., Jermolay Grigoriewitfch, haft wohl eine nicht geringe Familie zu verforgen?"

. — „Drei Söhne und zwei Töchter, und dann habe ich noch zu der älteren einen Burfchen in's Haus genommen — jetzt ift dem fchon das fünfte Jahr."

— „Habt wohl auch fchon Großkinder?"

— „Haben wahrlich einige wenige, Ewr Gnaden."

— „Gott fei gelobt, Gott fei gelobt — wach= fet und mehret euch. — Wohlan denn, Jermolay Grigoriewitfch, der Weg ift weit, — laßt uns ein Schälchen Birkenfchnaps nehmen."

Der Bauer macht Umftände. Der Richter fchenkt ihm ein und fagt dazu: „Hör' doch, hör' doch, Alter! für heute ift von den heiligen Kirchen= vätern kein Verbot auf Wein und Oel gelegt."

— „Richtig, da ift kein Verbot, aber der Wein ift es eben, der den Menfchen zu allem Un= heil bringt." — Hiebei fchlägt er ein Kreuz, ver= beugt fich und trinkt den Schnaps.

— „Mit folch' einer Familie, Grigoriewitfch, ift's, meine ich, fchwierig fich durch's Leben zu fchlagen? — jeder foll genährt, gekleidet werden, mit Einem Pferdchen oder Einer Kuh ift wohl nicht auszukommen, — hat man fogar nicht Milch genug."

— „Erbarme dich, Väterchen, was richtet man

**11*

mit Einem Pferde aus! — haben ihrer doch drei
— hatten auch ein viertes, einen Scheden, aber
es ist gefallen — um Petri-Pauli, durch den bösen Blick — der Zimmermann bei uns, Dorothei,
ist, Gott schütze, arg neidisch auf fremdes Gut."

— „Ja, es trifft sich manchmal so. Aber
eure Weiden sind doch recht groß, — ihr haltet
wohl Schäfleins?"

— „O ja, haben auch Schäfleins."

— „Ach, da habe ich mit dir die Zeit ver-
plaudert! — Der Dienst, Jermolay Grigoriewitsch,
des Zaren Dienst ist fordernd, ich muß in's Gericht eilen. — Was, hast du etwa ein Geschäftchen
an mich?"

— „Ganz so, Ewr Gnaden, habe eins."

— „Nun, was ist es denn? — habt euch um
irgend was verzankt? — schneller damit, Onkel! —
erzähle nur schneller; es ist Zeit, daß ich fahre."

— „Ja was, mein Vater, — auf meine alten Tage ist mir Unheil gekommen . . . . Siehst
du mal, gerade um Markt Himmelfahrt waren wir
in dem Bierhause, — nun und haben etwas kernig
mit einem nachbarlichen Bauern gesprochen — solch'
ein unziemlicher Mensch! bestiehlt unseren Wald . . . . .
Als wir nun mit einander gesprochen hatten, hob er
die Hand und schlug mit der Faust mir vor die Brust.

„Du sollst in einem fremden Dorfe dich nicht prügeln," sage ich ihm. — und wollte . . . . das heißt, so des Beispiels wegen, ihm einen Schubs geben, aber — weiß Gott wie — war es vor Rausch oder durch den bösen Geist — ich kam ihm gerade in's Auge . . . Nun, und so habe ich ihm einigermaßen das Auge etwas verdorben. Er ist aber sogleich mit dem Kirchenvorsteher zum Stanopov — will, sagte er, förmlich zu Gerichte gehen . . . ."

Während der Erzählung wird der Richter — was sind dagegen eure Petersburger Schauspieler! — immer ernsthafter und ernsthafter, macht so furchtbare Augen und sagt kein Wort. — Der Bauer sieht das und erblaßt, stellt seinen Hut zu seinen Füßen und zieht aus ihm ein Handtuch hervor, um sich den Schweiß abzuwischen.*) — Der Richter schweigt immerfort und blättert in einem Buche.

— „Da bin ich denn zu dir gekommen," hebt der Bauer an mit einer Stimme, die nicht mehr die seinige ist.

— „Was kann ich denn dabei thun! — welch' ein Vorfall! und wozu denn gerade in's Auge?"

— „Richtig, wozu! der böse Geist muß mich verführt haben."

*) Die Bauern haben gar keine Taschentücher.

— „Thut mir leid, sehr leid! — Wenn man bedenkt, weshalb ein Haus zu Grunde gehen soll! — Wie wird nun die Familie ohne dich bleiben? — lauter junges Volk, und die Großkinder — ganz klein, und auch deine Alte thut mir leid."

Dem Bauern fangen die Beine an zu zittern.

— „Wie so denn, Vater? wozu habe ich mich denn gebracht?"

— „Da, sieh, Jermolay Grigoriewitsch, lies selbst — oder ist dir die Kunst des Lesens nicht geläufig? — — Nun siehst du „Von den Gliederverletzern" Artikel: Nach Bestrafung mit der Peitsche zu verschicken auf Ansiedlung nach Sibirien."

— „Laß nicht einen Menschen ruiniren, stürze nicht einen Christen in's Verderben! — kann man denn nicht wi . . . . ?

— „Du bist mal sonderbar! Kann man denn Etwas wider das Gesetz thun? — Freilich ist Alles das Werk von Menschenhänden. Nun, statt der dreißig Hiebe werden wir so ein Stücker fünf bestimmen."

— „Ja, aber hinsichtlich Sibiriens?"

— „Liegt nicht in unserer Macht."

Da zieht der Bauer aus seiner Tasche den Beutel hervor, nimmt aus dem Beutel ein Papier heraus, aus dem Papier zwei, drei Goldstücke, und mit tiefer Verbeugung legt er sie auf den Tisch.

— „Was soll das heißen, Jermolay Grigorjewitsch?"

— „Rette mich, Herr!"

— „O hör' doch auf, hör' doch auf! Was ist dir? — Ich, sündiger Mensch, nehme wohl manchmal einen Dank an; mein Gehalt ist gering, ich bin genöthigt anzunehmen; aber thut man das, so muß es für irgend Etwas sein. — Wie soll ich dir helfen? — wäre es noch eine Rippe oder ein Zahn, wohlan! — aber gerade in's Auge! — Nehmen Sie Ihr Geld zurück."

Der Bauer ist zerknirscht.

— „Oder wäre etwa Folgendes thunlich? sollte ich nicht mit meinen Collegen mich über die Sache besprechen und auch in die Gouvernements-Stadt schreiben? . . . . Möglich, daß die Sache vor das Gouvernements-Gericht kommt, da habe ich Freunde — sie werden schon Alles thun, was in ihrer Macht ist — aber das sind Leute anderen Schlages — mit ihnen findet man sich nicht mit ein oder drei Goldstücken ab" . . . .

Der Bauer kommt etwas zu sich.

— „Mir magst du Nichts geben, mir thut

die Familie leid, — aber denen da kann man weniger als zwei Grane gar nicht anbieten."

— „Bei Gott, ich weiß nicht, von wo ich solch' eine Unmasse Geldes herbeischaffen könnte. — Vierhundert Rubel! . . . . Und es sind so schwere Zeiten" . . . .

— „Ja, ich meine auch, daß es schwierig ist. Die Strafe werden wir lindern — in Berücksichtigung, werden wir sagen, der Reue und des unnüchternen Zustandes. Es leben doch auch Menschen in Sibirien. Zumal ist's dir nicht so sehr weit dahin zu kommen . . . Allerdings, ein Paar Pferde, eine der Kühe und die Schäflein verkauft, das könnte schon hinreichen . . . Aber gewiß im Bauernstande ist's keine Kleinigkeit, so viel Geld zusammenzuscharren. — Andrerseits aber, wenn man bedenkt — die Pferde werden bleiben, aber du wirst gehen „wohin kein Hirt je eine Heerde führte" . . . Bedenke, Grigoriewitsch! noch ist es Zeit, wir werden bis morgen warten, ich aber habe nun Eile," — fügt der Richter zu und steckt die Goldstücke in die Tasche, nachdem er sie zuerst abgelehnt hatte, indem er sagt: — „Das ist ganz überflüssig, ich nehme es nur; um Sie nicht zu beleidigen."

Doch siehe! den folgenden Morgen bringt der

alte Jude dem Richter in verschiedenartigen Doublo-
nen und alterthümlichen Rubeln au dreihundert-
funfzig Rubel Banko. — Der Richter verspricht, sich
der Sache anzunehmen. Der Bauer wird vor Gericht gezogen, lange wird über ihn Gericht gehalten,
lange wird er eingeschüchtert, eingesperrt, und zuletzt wird er entlassen entweder mit irgend einer
leichten Strafe oder mit dem Rathe: künftig in dergleichen Fällen vorsichtig zu sein, — oder mit der
Anmerkung: „in Verdacht gelassen." — Und sein
Leben lang betet der Bauer für das Wohlsein des
Richters.

„So wurden vor Alters die Sachen betrieben,"
— pflegte der dienstentlassene Kreishauptmann zu-
zufügen, — „rein wurden sie abgefertigt."

Die Bauern von Wätka sind im Allgemeinen
nicht sehr ausdauernd. Deshalb werden sie von
den Beamten für Verläumder und unruhige Leute
gehalten. Eine wahre Goldgrube für die Landpolizei sind die Wotäken, Mordwinen, Tschuwaschen,
— armseliges, scheues, mittelloses Volk. Die Kreis-
hauptleute statten den Gouverneurs einen doppelten
Tribut ab, wenn sie in Kreisen angestellt werden,
die von Finnen bewohnt sind.

Die Polizei und die Beamten geben mit diesen Armseligen unglaubliche Dinge an.

Wenn ein Landmesser in irgend einem Auftrage durch ein Wotäken-Dorf fährt, so hält er sicherlich da an, holt von seinem Karren das Astrolabium, schlägt in den Boden einen Pfahl ein und breitet die Kette aus. Eine Stunde darauf ist das ganze Dorf in Bestürzung. „Die Landmessung, die Landmessung!" sagen die Bauern — mit demselben Ausdrucke, mit welchem man 1812 sagte: „Die Franzosen, die Franzosen!" — Dann kommt der Aelteste mit den Weißhäuptern, dem Beamten ihren Gruß abzustatten. Dieser fährt unterdessen immer fort, zu messen und einzuschreiben. Der Aelteste bittet ihn, ihr Land nicht zu verschmälern, sie nicht zu beleidigen. Der Landmesser fordert zwanzig oder dreißig Rubel. Die Wotäken sind darüber ganz froh, sammeln das Geld, und — der Landmesser setzt seine Reise bis zum nächsten Dorfe fort.

Wird eine Leiche vom Kreishauptmann und dem Stanovoy gefunden, so führen sie sie ein Paar Wochen, Dank der Kälte, die das möglich macht, in den Wotäken-Dörfern herum, und überall sagen sie, daß sie die Leiche so eben aufgehoben haben, und daß deshalb Untersuchung und Gericht in die-

sem Dorfe gehalten werden muß. — Die Wotäken
geben Lösegeld.

Einige Jahre vor meiner Ankunft brachte ein
Kreishauptmann, der sich gar sehr auf das Eincaf=
siren von Lösegeldern gelegt hatte, eine Leiche in
ein großes russisches Dorf, und forderte, wenn ich
mich nicht irre, zweihundert Rubel. Der Altmann
versammelte die Gemeinde; die Gemeinde bewilligte
nicht mehr als hundert. Der Hauptmann gab nicht
nach. — Da ärgerten sich die Bauern, sperrten
ihn mit seinen zwei Schreibern im Gemeindehause
ein und drohten ihrerseits, sie darin zu verbrennen.
Der Hauptmann wollte nicht an diese Drohung
glauben. — Die Bauern legten Stroh um das
Haus herum und reichten dem Beamten durch das
Fenster auf einer Stange eine Banknote von hun=
dert Rubel als ein ultimatum. Der heldenmüthige
Hauptmann forderte noch hundert dazu. Darauf
zündeten die Bauern das Stroh an allen vier Sei=
ten an, und die drei Mucii Scaevolae der Landpolizei
verbrannten. — Diese Sache kam später an den
Senat.

Die Wotäken=Dörfer sind im Allgemeinen viel
ärmer als die russischen.

— „Wohnst du kläglich!“ sagte ich zu einem
Wotäken=Wirthe, in dessen dumpfichter, vom Rauch

geschwärzter und halb eingesunkener Hütte ich auf
Postpferde warten mußte, — indem ich die Schale
stinkender Milch, die er mir vorgesetzt hatte, von
mir schob.

— „Was zu thun, Väterlein! — unser einer
— arm, sparen Geld auf schwarz Tag!"

— „Nun schwärzer kann schwerlich ein Tag
sein, als dieser, mein Alter," — erwiederte ich
ihm und schenkte ihm ein Glas Rum ein. — „Da,
trinke mal gegen den Kummer!"

— „Wir trinken nicht," antwortete der Wotäl,
leidenschaftlich auf das Glas und mißtrauisch auf
mich hinblickend.

— „Ei was! nimm es nur."

— „Trinke selbst zuerst."

Ich trank und dann trank auch der Wotäl.

— „Und was bist du?" fragte er, „kommst
wohl aus der Gouvernements-Stadt in irgend
einer Sache?"

— „Nein," antwortete ich, „ich bin auf einer
Durchreise, ich fahre nach Wätka."

Dies beruhigte ihn merklich, und er fügte in
Art einer Erläuterung, nachdem er sich nach allen
Seiten umgesehen hatte, hinzu: — „Schwarz Tag,
wenn Kreishauptmann und Pfaffe ankommen."

Ueber letzteren will' ich Ihnen eben Einiges erzählen.

Der Pfaffe verwandelt sich immer mehr und mehr bei uns in einen geistlichen Polizeiofficier, wie es auch von der byzantinischen Demuth unserer Kirche und dem kaiserlichen Papstthum zu erwarten ist. — Ein Theil der finnischen Stämme hat die Taufe angenommen noch vor Peter I., ein anderer aber ist bis jetzt heidnisch geblieben; und selbst die Mehrzahl derjenigen, welche unter Elisabeth's Regierung getauft wurden, halten im Geheimen an ihrem düstern, wilden Glauben.*) — Alle zwei, drei Jahre fährt der Kreishauptmann oder der Stanovoy mit dem Pfaffen durch die Dörfer, um zu revidiren, wer von den Wotäken zur Communion gegangen ist, und wer nicht, und weshalb nicht. Sie werden alsdann bedrückt, in's Gefängniß ein-

---

*) Alle ihre Gebete reduciren sich auf eine materielle Bitte um Verlängerung ihres Geschlechts, um gute Ernte, Erhaltung der Heerde, und nichts weiter. — „Gebe, Jumala, daß von einem Schafbock zwei Junge fallen, von einem Korne fünf, daß meine Kinder Kinder haben." — In dieser Unsicherheit hinsichtlich des irdischen Lebens und des täglichen Brodes liegt etwas Abgelebtes, Bedrücktes, Unglückseliges und Trauriges. Der Teufel (Schaïtan) wird von ihnen gleich Gott geachtet.

gesperrt, gepeitscht, und man läßt sie zahlen. Vor
Allem aber suchen Pfaffe und Polizeibeamter nach
irgend einem Beweise, daß die Wotäken ihre früheren Gebräuche nicht aufgegeben haben. Ist ein
Beweis gefunden, so hebt der geistliche Spion mit
dem Polizei-Missionär keinen gewaltigen Lärm an;
sie nehmen ein ungeheures Lösegeld, machen „Schwarz
Tag,“ und fahren dann weg, Alles beim Alten laf-
send, um eine Gelegenheit zu haben, nach Verlauf
von ein Paar Jahren wieder mit Kreuz und Ruthe
anzukommen.

1835 fand die heiligste Synode es nothwendig,
in dem Gouvernement Wätka etwas zu apostoliren
und die Tscheremissen-Heiden zur Rechtgläubigkeit
zu bekehren. Diese Bekehrung ist ein Typus aller
von der russischen Regierung vollzogenen großen
Verbesserungen — façade, Decoration, blague, Lüge,
glänzender Bericht, und — Jemand wird gepeitscht.

Der Metropolit Philaret sandte als Missionär
einen gewandten Pfaffen, Kurwanowsky. Verzehrt
von der Russen-Krankheit, dem Ehrgeize, nahm
dieser die Sache eifrig auf. Er beschloß, Gottes
Gnade, es koste was es wolle, den Tscheremissen
aufzubrängen.

Anfangs versuchte er es mit Predigten. Doch
dieses Mittels wurde er bald überdrüssig. — Und

wahrlich, läßt sich durch dieses abgenutzte alte Mittel viel ausrichten? —

Merkend, worauf es abgesehen war, schickten die Tscheremissen ihre eigenen Priester, — wilde, fanatische und gewandte Menschen. Nach langen Unterhaltungen sagten sie zu Kurbanowsky: „Im Walde giebt es weiße Birken, hohe Fichten und Tannen, es giebt auch kleinwüchsige Wachholdersträuche. Gott duldet sie alle und befiehlt nicht dem Strauche, Fichte zu sein. So sind denn auch wir unter uns, wie die Gewächse im Walde. Seid ihr die weißen Birken, wir wollen Wachholdersträuche bleiben; wir hindern euch nicht, wir beten für den Zaren, zahlen die Abgaben und stellen Rekruten, aber unserem Heiligthum wollen wir nicht untreu werden."

Kurbanowsky sah ein, daß er nicht im Stande war, sie zu überzeugen, daß die Rolle eines Cyrillus und Methodius ihm nicht zu Theil fiel. Er wandte sich an den Kreishauptmann. — Dieser war darüber außerordentlich froh; seit lange schon hatte er gewünscht, seinen Eifer für die Kirche zu zeigen — er war ein ungetaufter Tatar, d. h. ein rechtgläubiger Muselmann, Namens Dewle-Kildeyeff.

Er nahm eine Compagnie Soldaten mit sich und zog aus, die Tscheremiffen mit Gottes Wort zu belagern. Mehrere Dörfer wurden getauft. Apostel Kurbanowsky sang darob ein Tedeum und kehrte in aller Demuth nach Hause zurück, um die Calotte zu empfangen. Dem Tatar-Apostel sandte die Regierung das Wladimir-Kreuz für Verbreitung des Christenthums.

Unglücklicherweise stand sich der tatarische Missionair nicht gut mit dem Mollah in Malmyjy. Es mißfiel dem letzteren ganz und gar, daß ein rechtgläubiger Sohn des Korans so eifrig das Evangelium predigte. Während des Ramazans erschien der Kreishauptmann in der Moschee mit seinem auf eine freche Weise in's Knopfloch eingebundenen Kreuze und stellte sich, wie es sich von selbst versteht, vorn hin vor alle anderen Leute. Der Mollah hatte so eben angefangen, mit näselnder Stimme den Koran vorzulesen, als er auf Ein Mal anhielt und sagte, er dürfe nicht fortfahren „in Gegenwart eines Rechtgläubigen, der in die Moschee mit einem feindlichen Zeichen gekommen ist." — Die Tataren begannen zu murren, der Kreishauptmann gerieth in Verlegenheit, entweder verbarg er sich irgendwo, oder er nahm sein Kreuz ab.

Später las ich in der Monatsschrift des Mini-

sterium des Inneren über diese glänzende Bekehrung
der Tscheremiffen. In dem Aufsatze war die eifrige
Mitwirkung Dewli-Kildeyeff's erwähnt. Leider hatte
man vergeffen hinzuzusetzen, daß der Eifer für die
Kirche seinerseits ein desto uneigennützigerer war, je
fester er an den Islam glaubte.

———

Vor dem Ende meines Aufenthalts in Wätka
war das Stehlen in den Kronbesitzungen bis zu
einem solchen Grad gestiegen, daß eine Commission
ernannt wurde, welche in alle Provinzen Revisoren
herumschicken sollte, um zu controliren. Hierdurch
entstand ein neues Verwaltungssystem hinsichtlich
der Kronbauern.

Der Gouverneur Kornilow hatte seinerseits zwei
Beamte für die Revision zu ernennen. Von diesen
beiden war ich der eine. Was bekam ich nicht Alles hier durchzulesen! Trauriges, Lächerliches, Ekel-
haftes. Schon die Titel der Geschäfte allein setzten
mich in Verwunderung. Z. B. „Proceß wegen des
Gebäudes der Gemeinde-Behörde, das verloren
gegangen ist, ohne daß man weiß wo es geblieben
ist, und wegen des von den Mäusen aufgefreffenen
Planes deffelben"; — „Proceß wegen zweiund-
zwanzig verlorener Kronpächtereien" (ein Flächen-
raum von ungefähr 15 □ Werften); — „Proceß

über die Einregiſtrirung des Bauernknaben Waſſly in's weibliche Geſchlecht."

Dieſer letzte Titel war denn doch ſo wunderbar, daß ich den Proceß auf der Stelle von Anfang
bis zu Ende durchlas.

Der Vater dieſes vermeintlichen Waſſly (Wilhelm) ſchreibt in ſeiner Bittſchrift an den Gouverneur, daß ihm vor funfzehn Jahren eine Tochter
geboren wurde, die er Waſſiliſa (Wilhelmine) nennen wollte, daß aber der Prieſter bei der Taufe betrunken war und in Folge deſſen das Mädchen (Wa-
ſily (Wilhelm) getauft und als ſolchen in die Tauf-
regiſter eingetragen hatte. Der Vater ſchien anfangs
ſich wenig um dieſen Umſtand zu bekümmern; als
er aber bedachte, daß bald an ſein Haus die Reihe
kommen würde, einen Rekruten zu ſtellen und Kopf-
ſteuer zu zahlen, da meldete er es dem Altmann und
dem nächſten Polizeibeamten. Der Fall ſchien der
Polizei außerordentlich ſchwierig. Vorläufig wies
ſie den Bauer ab, indem ſie ihm ſagte: er habe
den zehnjährigen Verjährungs-Termin verpaßt.
Hierauf begab ſich der Bauer zum Gouverneur.
Dieſer befahl eine officielle Beſtätigung für dieſen
Knaben weiblichen Geſchlechts von einem Arzt und
einer Hebamme zu bringen. — Hieraus entſtand
eine Correſpondenz mit dem Conſiſtorium, und es

trat auf die Scene ein Pfaffe, der Nachfolger desjenigen, der aus keuscher Scham im betrunkenen
Zustande den Geschlechtsunterschied nicht zu untersuchen pflegte. Die Sache währte Jahre lang und
endigte vielleicht sogar damit, daß das Mädchen in
Verdacht gelassen wurde, männlichen Geschlechts zu
sein.

Man glaube nicht, daß ich diese absurde Vor-
aussetzung des Spaßes halber mache; keineswegs,
ein solcher Beschluß ist ganz im Geiste der russischen
Autokratie: —

Zu Kaiser Paul's Zeiten hatte ein Garde-
Obrist in seinem monatlichen Berichte einen Officier, der in einem Hospital in den letzten Zügen
lag, als todt angekündigt. Paul streicht ihn als
Verstorbenen aus den Registern aus. Unglücklicherweise aber stirbt der Officier nicht, sondern genest.
Der Obrist überredete ihn, sich auf ein Paar Jahre
in seine Dörfer zurückzuziehen, in der Hoffnung,
daß er unterdessen eine Gelegenheit finden würde,
die Sache zu repariren. Der Officier ging darauf
ein, aber zum Unglück für den Obrist hatten die
Erben des Officiers die Anzeige über seinen Tod
gelesen und wollten ihn jetzt um keinen Preis für
lebendig anerkennen; trostlos über den Verlust ihres
Verwandten forderten sie beharrlich, in den Besitz

12*

seiner Güter eingesetzt zu werden. — Als nun der lebendig Verstorbene merkte, daß ihm ein zweiter Tod — und dies Mal nicht nach Befehl, sondern vor Hunger — bevorstand, reiste er nach Petersburg und reichte Paul eine Bittschrift ein. Paul schrieb eigenhändig darauf: „Da über den Herrn Officier schon ein Allerhöchster Befehl erlassen worden ist, so wird ihm seine Bitte abgeschlagen."

Dieses übertrifft meine Wasily-Wasilisa oder Wilhelm-Wilhelmine. — Was hat auch das grobe Factum des Lebens einem allerhöchsten Befehle gegenüber zu sagen! — Paul war der Poet und der Dialektiker der Autokratie.

———

Wie schmutzig es in diesem Sumpfe von Kanzlei-Geschäften auch sei, so will ich doch noch einige Worte hinzufügen. Diese Veröffentlichung ist für die ohne Trost, ohne irgend eine Kunde Untergegangenen und Leidenden die einzige, kleine Vergeltung.

Die Regierung giebt gern den höheren Beamten unbebautes Land als Belohnung. Dieses ist kein großes Uebel, obgleich es klüger wäre, das Land für die zunehmende Bevölkerung aufzubewahren. Die Regeln, nach welchen die Abmessung des Landes geschehen soll, sind so ziemlich genau; man

darf nicht die Ufer schiffbarer Flüsse, nicht mit Bauholz bewachsenes Land, nicht die beiden Ufer eines
Stromes zugleich, — endlich in keinem Fall solche
Ländereien abgeben, die von Bauern bearbeitet sind,
sollten auch die Bauern auf letztere keine andern als
die Verjährungs-Rechte haben*)....

Dieses Alles gilt aber, versteht sich, blos auf
dem Papier. In der That ist das Abmessen des
Landes in Privat-Besitzungen eine unermeßliche
Quelle von Plündereien der Krone und von Bedrückung der Bauern.

Wenn ein hochgestellter Beamte eine solche
Arende erhält, so verkauft er gewöhnlich seine Rechte
darauf an Kaufleute oder sucht, trotz der Gesetze,
durch die Provinz-Behörde sich etwas Besonderes
anzueignen. Selbst der Graf Orloff hat, wie zufällig, einen Theil einer Landstraße und eine

---

*) In der Provinz von Wätka haben die Bauern eine
Vorliebe zur Uebersiedelung. Sehr oft sieht man in den
Wäldern plötzlich zwei bis drei neue Anlagen. Die aus-
gedehnten Landstrecken und Waldungen (welche übrigens jetzt
schon zur Hälfte ausgehauen sind) verleiten die Bauern, diese
unbenutzten res nullius in Besitz zu nehmen. Das Finanz-
Ministerium ist mehrere Male gezwungen gewesen, das in
Besitz genommene Land den Anbauern als Eigenthum zu bestätigen.

Weide erhalten, wo die Heerden, die aus der Sa-
ratow'schen Provinz nach Norden geführt werden,
anhalten.

Es ist also nicht zu verwundern, daß eines
schönen Morgens den Bauern der Darov'schen Gemeinde im Kotelny'schen Kreise das Land bis auf
ihre Gebäude abgeschnitten und als Privat-Eigen-
thum Kaufleuten gegeben wurde, die bei einem Verwandten des Grafen Cancrin eine Arende gekauft
hatten. Die Kaufleute bestimmten eine jährliche
Abgabe als Miethe für das Land. Hieraus entstand ein Proceß. Die Finanz-Kammer, von den
Kaufleuten bestochen und den Verwandten Cancrin's
fürchtend, zog die Sache in die Länge. Aber die
Bauern waren entschlossen, sie mit Ernst zu führen;
sie suchten unter sich zwei gescheidte Männer aus und
schickten sie nach Petersburg. — Das Departement
der Landmessungen sah ein, daß die Bauern Recht
hatten, wußte aber nicht, was zu machen sei, und
fragte Cancrin. — Cancrin gab zu, daß das Land
ungerechterweise abgeschnitten worden sei, meinte
aber, daß es große Schwierigkeiten haben würde, es
wieder zurückzugeben, weil es seitdem schon wieder
an Jemand anders verkauft worden sein könnte
und die Ankäufer manche Verbesserungen des Bodens
vorgenommen haben könnten. In Folge dessen

beſchloß ſeine Excellenz, daß man den Bauern die-
ſelbe Quantität Landes, die man ihnen von der
einen Seite abgeſchnitten hatte, von der entgegen-
geſetzten Seite abmeſſen ſolle, da zumal auf letzterer
weite Kronländereien gelegen waren. Dieſer Be-
ſchluß gefiel Allen — außer den Bauern. — Er-
ſtens iſt es kein Spielwerk neue Felder einzurichten;
zweitens erwies es ſich, daß das Land an der anderen Seite nicht fruchtbares, ſondern ſumpfiges war.
Und da die Darov'ſchen Bauern ſich mehr mit
Ackerbau, als mit Schnepfenjagd abgaben, ſo reichten ſie noch ein Mal eine Bittſchrift ein.

Da ſchieden Finanz-Kammer und Finanz-Mini-
ſterium die letzte Beſchwerde der Bauern von ihrer
früheren, und ſich auf das Geſetz ſtützend, welches
verordnet, daß, in dem Fall, daß ſich unfruchtbare
Landſtriche in dem Stück Boden, welchen man einer
Gemeinde zumißt, finden ſollten, dieſelben nicht ausgenommen werden könnten von dem ganzen Maß,
ſondern daß noch die Hälfte des ganzen Maßes
hinzuzufügen ſei, — fügten auch ſie den Darov'ſchen
Bauern noch einen halben Sumpf zu dem ſchon ge-
währten ganzen hinzu.

Die Bauern proteſtirten und appellirten an den
Senat, aber während der Zeit, in welcher man ſich
mit ihrem Proceß beſchäftigte, ſchickte ihnen das

Departement der Landmessungen den Plan der neuen
Besitzungen zu, in reichem Einband, wie es ge-
bräuchlich ist, gemalt, geziert mit der Windrose und
interessanten Auseinandersetzungen über den Rhombus RRZ und den Rhombus ZZR; dabei verlangte
man aber auch die sehr bedeutenden Steuern für
die gemachte Abmessung. Als die Bauern sahen,
daß man ihnen nicht nur ihr Land nicht wieder-
geben wollte, sondern daß sie auch noch für den
Sumpf bezahlen sollten, weigerten sie sich entschieden,
das Letztere zu thun.

Der Kreishauptmann schickte darüber einen Bericht an Tüfäyeff. Tüfäyeff schickte eine Compagnie
Soldaten unter dem Befehl des Polizeimeisters von
Wätka dorthin. Dieser kam an, ergriff mehrere
Menschen, ließ ihnen Ruthen geben, beschwichtigte
die Gemeinde, nahm Geld, übergab die „Schuldigen"
dem Criminal-Gerichte und war noch mehrere Wochen nachher ganz heiser von dem vielen Schreien. —
Mehrere Menschen erhielten die Strafe der Peitsche
und wurden auf Ansiedelungen verschickt.

Zwei Jahre später reiste der Thronfolger durch
die Darov'sche Gemeinde. Die Bauern reichten
ihm eine Bittschrift ein. Er befahl, die Sache zu
untersuchen. Bei dieser Gelegenheit hatte ich den
Bericht über die Angelegenheit abzufassen. — Was

aus dieser Revidirung erfolgt ist — weiß ich nicht.
Gehört habe ich, daß man den Verschickten erlaubt
habe zurückzukehren, daß man aber das Land zurück-
gegeben hätte — habe ich nicht gehört.

Zum Schluß will ich der berühmten Geschichte
des Kartoffel-Aufruhrs erwähnen.

Die russischen Bauern pflanzten ungern Kar-
toffel, eben so wie es einst die Bauern in ganz
Europa thaten, als sagte der Instinct dem Volke,
daß dies ein schlechtes Nahrungsmittel ist, welches
weder Kraft noch Gesundheit verleiht. Bei ordent-
lichen Gutsbesitzern übrigens, und in mehreren
Kron-Dörfern wurden die „Erdäpfel" viel eher ge-
pflanzt, als der Kartoffel-Terror Statt fand. Aber
der russischen Regierung ist eben alles Dasjenige
zuwider, was von freien Stücken gethan wird. Sie
will Alles durch den Stock, durch den Flügelmann,
nach dem Commando gethan sehen.

Im Kasanschen und theils auch in dem Wätkaschen Gouvernement hatten die Bauern Felder mit
Kartoffeln bebaut. Als die Kartoffeln gesammelt
waren, fiel es dem Ministerium ein, in jedem Bezirke eine Central-Grube anzulegen. — Die Gruben
werden bestätigt, die Gruben werden vorgeschrieben,
die Gruben werden gegraben, und im Anfang des

Winters führten die Bauern mit schwerem Herzen
die Kartoffeln in die Central-Gruben. Als man
sie aber im folgenden Frühling zwingen wollte, die
erfrorenen Kartoffeln zu pflanzen, da weigerten
sie sich, das zu thun. Eine empörendere Beleidi-
gung, als dieser Befehl, augenscheinlich Absurdes zu
vollziehen, konnte wirklich der Arbeit nicht angethan
werden.

Die Weigerung wurde als Aufruhr dargestellt. —
Der Minister Kisseleff beorderte einen Beamten aus
Petersburg. Dieser, — ein kluger und praktischer
Mann, — nahm in dem ersten Bezirke, in dem er
ankam, von jeder Seele einen Rubel und ertheilte
hierauf die Erlaubniß, die gefrorenen Kartoffeln
nicht zu pflanzen. Das wiederholte er in einem
zweiten und dritten Bezirke. Im vierten aber sagte
ihm das Haupt der Bauern sehr entschieden, daß er
die Kartoffeln nicht pflanzen und ihm auch kein
Geld geben würde. „Du hast", sagte er ihm, „die
und die Bezirke davon befreit; es ist also klar, daß
du auch uns befreien mußt." — Der Beamte wollte
der Sache mit Drohungen und Ruthen ein Ende
machen, aber die Bauern griffen zu Pfählen und
vertrieben das Polizei-Commando. Der Militair-
Gouverneur sandte Kosaken. Da nahmen die benachbarten Bezirke Partei für ihre Mitbrüder. Kurz,

es kam zu Flintenschüssen und Kartätschen. Die Bauern verließen ihre Häuser, zerstreuten sich in den Wäldern; die Kosaken trieben sie aus dem Dickicht, wie wilde Thiere, hervor; man ergriff sie, schmiedete sie in Ketten und schickte sie vor eine militair-gerichtliche Commission nach Kosmodemyansk.

Zufälligerweise war der alte Major der Garnison ein ehrlicher, einfacher Mann. Er sagte geradezu, daß der Hauptschuldige dabei der aus Petersburg geschickte Beamte sei. Da fielen Alle über den Major her; seine Stimme wurde übertäubt; man schüchterte ihn ein, ja man beschämte ihn, indem man ihm vorhielt, daß er „einen unschuldigen Menschen zu Grunde richten" wolle....

Und so nahm denn die Untersuchung den in Rußland gewöhnlichen Verlauf: die Bauern wurden geprügelt bei den Verhören, geprügelt zur Strafe, geprügelt des Beispiels halber, geprügelt des Geldes wegen, und eine ganze Menge von ihnen wurde nach Sibirien verschickt.

Merkwürdig ist es, daß Kisseleff während der Gerichtssession durch Kosmodemyansk reiste. Es hätte ihm doch einfallen können, meine ich, in die militair-gerichtliche Commission hineinzugucken, oder den Major zu sich rufen zu lassen. Er hat es nicht gethan! —

.... Als der berühmte Turgot den Widerwillen der Franzosen gegen die Kartoffeln sah, schickte er allen Staats-Pächtern, Lieferanten und anderen ihm untergebenen Leuten Kartoffelsaat, indem er ihnen streng verbot, den Bauern davon zu geben. Zu gleicher Zeit ließ er sie aber unter der Hand wissen, sie möchten die Bauern nicht verhindern, Kartoffel-saat zu stehlen. — Nach einigen Jahren war ein Theil Frankreichs mit Kartoffeln bebaut.

Tout bien pris, Herr Kisseleff, ist das nicht besser als Kartätschen?

IX.

Alexander Witberg.

———

Mitten unter diesen ungestalteten, schmutzigen, kleinlichen und widrigen Personen und Scenen, Geschäften und Titeln, — in diesem Kanzlei-Rahmen und dieser gerichtshöfischen Umgebung, — zeigen sich meinem Gedächtnisse die gramvollen, edelen Züge eines von der Regierung mit kalter, gefühlloser Grausamkeit unterdrückten Künstlers.

Die bleierne Hand des Zaaren hat nicht allein das geniale Product des Künstlers in der Knospe erstickt, nicht allein seine schöpferische Kraft vernichtet, indem sie ihn in gerichtliche Kniffe und polizeiliche Fallen verwickelte, sondern sie hat auch versucht, mit dem letzten Stücke Brod ihm zugleich seinen ehrlichen Namen zu entreißen, ihn für einen bestechlichen Menschen, einen Entwender von Staatsgeldern auszugeben.

Nachdem Nikolaus den Künstler zu Grunde gerichtet hatte, verschickte er ihn nach Wätka. Da sind wir uns begegnet.

Zwei und ein halbes Jahr habe ich mit ihm verbracht, und ich sah, wie dieser kräftige Mann unter der Last der Verfolgungen und des Unglücks zusammenbrach, — ein Opfer des beamtlich-kasernenhaften Absolutismus, der Alles in der Welt stumpfsinnig mit seiner Rekruten-Mensur und seinem Kanzlei-Lineal abmißt.

Man kann nicht sagen, daß er sich leicht ergab; volle zehn Jahre hindurch hat er verzweifelt gekämpft, er brachte sogar in seinen Verbannungsort noch die Hoffnung, seine Feinde zu überwinden und sich zu rechtfertigen, mit, — kurz, er kam noch kampfgerüstet, voller Pläne und Hoffnungen an. Da aber sah er ein, daß Alles zu Ende war.

Vielleicht würde er auch diese Entdeckung überstanden haben, aber er hatte neben sich eine Frau und Kinder und vor sich Jahre der Verbannung, der Noth, der Entbehrungen, — und Witberg wurde grauer und grauer, älter und älter, nicht von Tag zu Tag, sondern von Stunde zu Stunde. Als ich ihn nach zwei Jahren in Wätka verließ, hatte er um zehn Jahre gealtert.

Die Geschichte dieses langen Märtyrerthums ist folgende: —

Der Kaiser Alexander glaubte nicht an seinen Sieg über Napoleon, der Ruhm war ihm zur Last, und er übertrug ihn offenherzig auf Gott. Von früh auf zum Mysticismus und zu düsteren Stimmungen geneigt (worin mehrere Menschen Gewissensqualen erblicken wollten), gab er sich dieser Richtung vorzüglich hin, nachdem er eine Reihe von Siegen über Napoleon errungen hatte.

Als „der letzte Soldat des Feindes die Grenze überschritten hatte", erließ Alexander ein Manifest, in welchem er das Gelübde aussprach, in Moskau eine colossale Kirche zu Ehren des Heilandes zu errichten.

Von überall her wurden Projecte gefordert, ein großer Concurs sollte Statt finden.

Witberg war damals ein junger Künstler, der eben seinen Cursus beendigt und eine goldene Medaille für Malerei erhalten hatte. Schwedischer Herkunft, war er in Rußland geboren und anfänglich in dem Berg-Cadetten-Corps erzogen. Der exaltirte, excentrische und zum Mysticismus geneigte Künstler liest das Manifest, liest die Aufforderungen — und verläßt alle seine Beschäftigungen. Tage und Nächte hindurch irrt er in den Straßen Pe-

tersburgs, von Einer Idee unabläſſig verfolgt; —
ſie überwältigt ihn, er verſchließt ſich in ſeinem Zimmer, greift zur Bleifeder und arbeitet.

Keinem Menſchen vertraute der Künſtler ſein
Vorhaben an. Nach mehreren Monaten Arbeit reiſt
er nach Moskau, um die Stadt, die Umgegend zu
ſtudiren, und ſetzt ſich von neuem an die Arbeit, —
Monate lang ſich ſelber und ſein Project verbergend.

Die Zeit des Concurſes begann. Der Projecte waren viele; es waren welche aus Italien und
aus Deutſchland geſchickt, unſere Akademiker hatten
die ihrigen vorgelegt. Und unter anderen brachte
auch der unbekannte junge Menſch das ſeinige. —
Wochen verfloſſen, ehe der Kaiſer die Pläne in
Augenſchein nahm. Das waren für Witberg die
vierzig Tage in der Wüſte, die Tage der Verſu-
chung, des Zweifels und der qualvollen Erwartung.

Witberg's coloſſaler, von religiöſer Poeſie er-
füllter Entwurf fiel Alexander auf. Er hielt an,
als er ihn ſah, und fragte, von wem dieſer Plan
eingereicht ſei. Man entſiegelte das Packet und
fand den unbekannten Namen eines Zöglings der
Akademie.

Alexander wünſchte, Witberg zu ſehen. Er
ſprach lange mit dem Künſtler. Seine dreiſte und
feurige Rede, die wirkliche Begeiſterung, von welcher

er durchdrungen war, und der mystische Anstrich seiner Ueberzeugungen machten Eindruck auf den Kaiser. „Sie reden durch Steine", bemerkte er, von
neuem den Entwurf betrachtend.

Am selben Tage war das Projekt bestätigt und
Witberg zum Erbauer der Kirche und Director des
Bau-Comité's ernannt. Alexander wußte nicht, daß
mit dem Lorbeer-Kranze er dem Künstler zugleich
die Dornen-Krone auf's Haupt legte.

Keine Kunst ist dem Mysticismus verwandter
als die Architektur. Abstract, geometrisch, stumm-
musikalisch, leidenschaftslos, lebt sie durch Symbolik,
Form, Andeutung. Die einfachen Linien, ihre har-
monischen Verbindungen, ihr Rhythmus, ihre Zahlen-
Verhältnisse bilden etwas Geheimnißvolles und zugleich Unvollständiges. Gebäude, Tempel enthalten
nicht, wie Bildsäule und Gemälde, Gedicht und
Symphonie, ihr Ziel innerhalb ihrer selbst; das Gebäude harrt auf den Bewohner, es ist ein abge-
grenzter, inhaltloser Raum, eine Umgebung, das
Panzerhemd einer Schildkröte, die Muschel einer
Molluske, — und es kommt eben darauf an, daß
der Behälter dem Geiste, dem Ziele, dem Einwohner
so entspricht, wie das Panzerhemd der Schildkröte.
Auf den Wänden eines Tempels, in seinen Bogen
und Säulen, seinem Portal und seiner Façade, sei-

nem Fundament und seiner Kuppel muß die in ihm
wohnende Gottheit eben so ausgeprägt sein, wie
die Furchen des Gehirns sich auf dem Knochen-
schädel abprägen.

Die Tempel der Egypter waren ihre heilige
Schrift; die Obelisken — Predigten auf dem großen Wege; Salomon's Tempel ist die aufgebaute
Bibel. So ist die Petri-Kirche ein aufgebauter Aus-
gang aus dem Katholicismus, der Anfang einer
weltlichen Welt, der Anfang der Säcularisation der
Menschheit.

Das Errichten der Tempel selbst war seit jeher
so voll mystischer Gebräuche, Allegorien, geheimniß-
voller Weihungen, daß im Mittelalter die Baumeister sich für etwas Besonderes, für eine Art von
Geistlichkeit, für die Nachfolger der Baumeister von
Salomon's Tempel hielten und untereinander die
geheimen Bünde der Steinhauer bildeten, welche
später in die Freimaurerei übergingen.

Ihren eigentlich mystischen Charakter verliert
die Architektur in den Zeiten des Wiederauflebens
der Künste. Da ringen christlicher Glaube mit phi-
losophischem Skepticismus, der gothische Pfeiler mit
dem griechischen Giebel, geistliche Heiligkeit mit weltlicher Schönheit. Deshalb hat die Petri-Kirche
solch eine hohe Bedeutung; in ihren kolossalen Di-

menſionen ſtrebt das Chriſtenthum dem Leben zu, die Kirche wird heidniſch, und Buonarotti malt Chriſtus auf der Wand der Sixtiniſchen Capelle als einen breitſchulterigen Athleten, als einen Herkules in der Blüthe ſeiner Jahre und Kräfte.

Nach der Erbauung der Petri-Kirche verfiel die Kirchenbaukunſt gänzlich und reducirte ſich zuletzt auf eine einfache Wiederholung in verſchiedenen Maaßſtäben theils antiker helleniſcher Periptere, theils der Petri-Kirche. — Ein Parthenon wurde in Paris Kirche der heiligen Magdalena, ein anderes in New-York die Börſe benannt.

Ohne Glauben und ohne beſondere Umſtände war es ſchwer, irgend etwas Neues hervorzubringen. Allen neuen Kirchen ſah man die Gezwungenheit, die Heuchelei, den Anachronismus an, wie dieſen fünfthürmigen Platmenagen, in indo-byzantiniſchem Geſchmack, welche Nikolaus mit H. Thon errichtet, oder wie den abgeſchmackten gothiſchen Kirchen, mit welchen die Engländer ihre Städte verzieren, welche jedes künſtleriſche Auge kränken.

Aber die Umſtände, in welchen Witberg ſeinen Plan entwarf, ſeine Perſönlichkeit und die Stimmung Kaiſer Alexanders — waren eben ungewöhnlich.

13*

Der Krieg von 1812 hatte die Gemüther in Rußland stark erschüttert; lange nach der Befreiung Moskau's konnten die in Wallung gebrachten Gedanken und die gereizten Nerven sich nicht beruhigen. Die Ereignisse außerhalb Rußlands, die Einnahme von Paris, die Geschichte der hundert Tage, die Erwartungen, die Gerüchte, Waterloo, Napoleon, der über den Ocean schifft, die Trauer um getödtete Verwandte, die Angst um die lebenden, die heimkehrenden Krieger, — Alles das wirkte tief selbst auf die gröbsten Naturen. Nun stellen Sie sich einen Jüngling, einen Künstler vor, der Mystiker ist, mit schöpferischer Kraft begabt und dabei fanatisch, unter dem Eindruck der sich ereignenden Thatsachen, unter dem Eindruck der kaiserlichen Aufforderung und dem Einfluß seines eigenen Genies!

Unweit von Moskau, zwischen den Wegen, die nach Mojaisk und Kaluga führen, ist eine Anhöhe, welche die ganze Stadt beherrscht. Das sind jene „Sperlingsberge", die ich in meinen ersten Jugend-Erinnerungen erwähnt habe. Die Stadt streckt sich an ihrem Fuße aus; von ihnen hat man eine der schönsten Aussichten auf Moskau. — Hier stand Johann der Furchtbare, noch als junger ausschweifender Mensch, und sah weinend, wie seine Hauptstadt brannte; hier trat der Priester Sylvester vor

ihn hin und verwandelte durch sein strenges Wort
den genialen Ausbund. — Diesen Berg umging
Napoleon mit seinem Heere, hier brach seine Kraft
zusammen; von dem Fuße der Sperlingsberge begann
der Rückzug.

War es wohl möglich einen besseren Ort für
eine Kirche zum Andenken an das Jahr 1812 zu
finden, als den letzten Punkt, bis zu welchem der
Feind gelangt war? —

Aber das war nicht genug — der Berg selbst
sollte zum untersten Theil der Kirche verwandelt,
das Feld bis zum Flusse von einem Säulengange
umschlossen werden, und auf dieser von der Natur
selbst von drei Seiten aufgebauten Basis sollte ein
zweiter und dritter Tempel errichtet werden, die
untereinander eine erstaunenswerthe Einheit dar-
stellten.

Wilberg's Kirche ist, gleich dem Haupt-Dogma
des Christenthums, dreifältig und untheilbar.

Der untere, im Berge ausgehauene Tempel
hatte die Form eines Parallelogramms, eines Sar-
ges, eines Leichnams, sein Aeußeres stellte ein ge-
wichtiges Portal dar, von beinahe egyptischen Säulen unterstützt; er verlor sich im Berge, in einer
wilden, unbehauten Natur. Dieser Tempel ward
von Lampen in hohen etruskischen Candelabern er-

leuchtet; das Tageslicht fiel spärlich aus dem zweiten Tempel in ihn durch ein durchsichtiges Gemälde,
Christi Geburt darstellend. In dieser Krypte sollten
alle im Jahre 1812 gefallenen Helden ruhen. See-
lenmessen sollten fortwährend für die auf dem
Schlachtfelde Getödteten gehalten, und auf den
Wänden sollten ihrer aller Namen, von dem Be-
fehlshaber an bis zu den Soldaten, ausgehauen
werden.

Ueber diesem Sarge, diesem Gottesacker er-
streckte sich nach allen Seiten das gleichseitige grie-
chische Kreuz des zweiten Tempels, — des Tempels der am Kreuze ausgebreiteten Arme, des Lebens, des Leibens, der Mühsal. Der Säulengang,
welcher zu ihm führte, war mit Statuen von Personen des Alten Testaments geschmückt. Am Ein-
gange standen die Propheten. Sie standen außerhalb des Tempels, auf den Weg hinweisend, welchen es ihren nicht selber vergönnt war zu durch-
wandern. Im Innern dieses Tempels war die Geschichte des Evangeliums und der Thaten der Apostel dargestellt.

Oberhalb, ihn krönend, ihn beendigend und
schließend, war ein dritter Tempel — rotundenför-
mig gebaut. Dieser, hell erleuchtet, war der Tempel des Geistes, der unstörbaren Ruhe, der Ewig-

keit, welche in dem Ringe seines Baues symbolisirt
war. Hier waren keine Heiligenbilder, keine Gemälde; nur von außen war er ganz umringt mit
einem Kranze von Erzengeln und überdeckt mit einer
kolossalen Kuppel.

. . . . Ich gebe jetzt meiner Erinnerung ge-
mäß Witberg's Hauptgedanken wieder. Er war von
ihm bis in die kleinsten Details ausgearbeitet und
überall ganz folgerichtig der christlichen Theodicee
und der architektonischen Schönheit entsprechend.

Ein wunderbarer Mensch, arbeitete er sein Leben lang an seinem Projekt. Während der zehn
Jahre, wo er unter Gericht war, gab er sich nur
mit ihm ab; im Exil, von Armuth und Noth be-
drängt, widmete er täglich einige Stunden der Aus-
arbeitung seines Entwurfes; in seiner Kirche war
sein Leben; er glaubte nicht, daß man sie nicht
aufbauen werde; seine Erinnerungen, seinen Trost,
seinen Ruhm, sein Alles enthielt sein Portefeuille.

Vielleicht wird einst, nach des Märtyrers Tode,
ein anderer Künstler den Staub von jenen Bogen
abschütteln und mit Andacht dieses baukünstlerische
Martyrolog herausgeben, an welchem ein kräftiges
Leben verging und vor Gram hinschwand, nachdem
es einen Augenblick in hellem Lichte geglänzt hatte,
um nachher, als es in die Klauen von einem Feld-

webel-Zaren, von leibeigenen Senatoren und von Kanzlei-Schreibern, die Minister sind, gerathen war, ausgelöscht und zerquetscht zu werden.

Das Projekt war genial, furchtbar, tollkühn — deshalb eben hatte Alexander es gewählt, deshalb eben sollte es ausgeführt werden. Man sagte, der Berg würde eine solche Kirche nicht tragen können. Ich glaube das nicht, besonders wenn man aller neuen Mittel gedenkt, welche Ingenieure in Amerika und England in solchen Fällen anwenden, — der meilenweiten Tunnels, der Ketten-Brücken, u. s. w.

Miloradowitsch rieth Witberg, die dicken Säulen des unteren Tempels aus Granit-Monolythen zu machen. Dagegen bemerkte ihm Jemand, daß der Transport aus Finnland sehr theuer zu stehen kommen würde. — „Deshalb eben muß man die Säulen kommen lassen," antwortete er, „wären Granit-Steinbrüche am Moskau-Fluß vorhanden, was wäre es für ein Wunder, die Säulen aufzustellen?"

Miloradowitsch war ein poetischer Krieger und begriff daher die Poesie im Allgemeinen. Großartige Dinge werden durch großartige Mittel vollbracht. Die Natur allein schafft Großes umsonst.

Der hauptsächlichste Vorwurf, welcher Witberg gemacht worden ist, selbst seitens derjenigen, welche seine Reinheit nie in Zweifel gezogen haben, ist dieser: „Warum hat er die Stelle eines Directors übernommen? — er, ein unerfahrener Künstler, ein junger Mensch, der Nichts von Kanzlei-Geschäften verstand! — Er hätte sich mit dem Amte eines Baumeisters begnügen sollen."

Das ist wahr. Dergleichen Beschuldigungen lassen sich leicht machen, wenn man ruhig daheim in der Stube sitzt. Er übernahm ja den Director-Posten, eben weil er jung und unerfahren, ein Künstler war; er übernahm ihn — weil, nach der Annahme seines Projekts, ihm Alles leicht zu sein schien; er übernahm ihn — weil der Zar selbst ihn ihm anbot, ihn aufmunterte, unterstützte. Wem würde dabei der Kopf nicht geschwindelt haben? — Wo sind diese nüchternen, mäßigen, enthaltsamen Naturen? —. Doch wenn es deren auch giebt, so bringen sie doch nimmermehr koloffale Projekte hervor, sie lassen „die Steine" nicht „reden."

Es versteht sich von selbst, daß Witberg von einem Haufen Schurken umringt wurde, von Leuten, welche Rußland für eine Affaire, den Dienst für eine vortheilhafte Abmachung, den Posten für eine zu ihrer Bereicherung günstige Gelegenheit ansehen. Es ist nicht schwer zu begreifen, daß sie Witberg unter den Füßen eine Grube gegraben haben, und daß er, einmal in sie gestürzt, was ihr nicht mehr herauskommen konnte. Ueberdies mußten der Neid Einiger und die gekränkte Eigenliebe Anderer sich zum Diebstahl gesellen.

Witberg's Gefährten im Comité waren: der Metropolit Philaret, der General-Gouverneur von Moskau und der Senator Kuschnikow. Sie alle fühlten sich von vorn herein dadurch beleidigt, daß ihnen ein Gelbschnabel zugesellt wurde, der noch dazu seine Meinung dreist äußerte und widersprach, wenn er die der Anderen nicht theilte.

Sie halfen erst ihn verwickeln, halfen erst ihn verläumden und stürzten ihn dann kaltblütig in's Verderben. Das Gelingen wurde befördert durch den Sturz des philomystischen Ministeriums des Fürsten A. N. Galizin und den Tod Kaiser Alexander's.

Mit Galizin's Ministerium fielen zugleich Freimaurerei, Bibel-Gesellschaften und lutherischer Pietismus, welches Alles in der Person von Magnizki zu Kasan und der von Runitsch zu Petersburg sich zu einer grenzenlosen Mißgestalt, bis zu wilden Verfolgungen, krampfhaften Sprüngen, zur Besessenheit und Gott weiß welchen Wunderdingen entfaltet hatte.

Rohe, grobe, ignorante Orthodoxie nahm die Oberhand. Sie ward vorzüglich vom Nowgorodschen

Archimandrit Fotius gepredigt, welcher in einer be=
sonderen — allerdings immateriellen — Vertraulichkeit
mit der Gräfin Orloff lebte. — Sie, die Tochter des
berühmten Alexis Orloff, welcher Peter den III. er=
drosselt hatte, meinte die Seele ihres Vaters zu er=
lösen, indem sie Fotius und seinem Kloster den
größten Theil ihrer unermeßlichen Besitzthümer,
welche Catharina verschiedenen Klöstern gewaltsam
entrissen hatte, abtrat und sich einer wüthenden
Bigotterie hingab.

Das, worin aber die Petersburger Regierung
beständig bleibt, was sie nie verläßt, bei allen
möglichen Veränderungen ihrer Grundsätze und ihres
Glaubens, das ist — ungerechte Verfolgung. Die
Maserei von Runitsch und Magnizki fiel zurück auf
die Runitsch' und Magnizki's. Die Bibel=Gesell=
schaft, gestern als Stütze der Sittlichkeit und Re=
ligion gepriesen und begünstigt, wird heute geschlos=
sen, versiegelt und auf gleichen Fuß mit Falsch=
münzern gestellt. „Der Sion's Bote" — gestern
allen Familienvätern anempfohlen — wird heute
ärger als Voltaire und Didérot verboten, und sein
Redacteur, Labsin, nach Wologda verbannt . . . . .

Galizin's Sturz zieht den Witberg's nach
sich. Alles fällt über ihn her, das Comité beklagt
sich, der Metropolit ist gekränkt, der General=Gou=

verneut unzufrieden. Witberg's Antworten, heißt
es, sind „verwegen" (im Processe ist Verwegen-
heit einer der wichtigsten Beschuldigungspunkte);
seine Untergebenen stehlen — als stöhle in Rußland nicht Jedermann, der im Staatsdienste ist. —
Uebrigens ist es wohl zu vermuthen, daß bei Witberg mehr als gewöhnlich gestohlen wurde; denn
er war zu wenig gewöhnt, Zucht-Häuser zu admini-
striren und Banden betitelter Diebe zu beaufsichtigen.

Alexander trug Araktschepeff auf, die Sache zu
untersuchen. Witberg that ihm leid, er ließ ihm
durch einen seiner Vertrauten sagen, er sei von seiner
Unschuld überzeugt.

Aber Alexander starb, und Araktschepeff fiel.
Witberg's Sache nahm unter Nikolaus sogleich eine
schlechtere Wendung. Zehn Jahre hindurch wurde
sie mit unglaublichen Absurditäten in die Länge gezogen. — Anklage-Punkte, welche von dem Cri-
minal-Gericht anerkannt worden waren, wurden
vom Senat verworfen. Punkte, in welchen das
Gericht ihn rechtfertigte, wurden vom Senat als
Beschuldigungen angeführt. Das Minister-Comité
nimmt alle Anklagen an. Der Kaiser, „das beste
Privilegium der Monarchen zu verzeihen und Strafen
zu lindern" benutzend, fügt dem Urtel Verbannung
nach Wätka hinzu.

Und so geht Witberg denn in's Exil. Sein Urtheil lautet: „Aus dem Dienste entfernt wegen Mißbrauchs des Vertrauens, welches Kaiser Alexander ihm geschenkt, und wegen der von ihm der Staatskasse zugefügten Verluste." Man rechnete ihm letztere, wenn ich nicht irre, zu einer Million Rubel an. Sein ganzes Vermögen wurde in Beschlag genommen, in öffentlicher Versteigerung verkauft, und das Gerücht wurde verbreitet, er habe unsäglich große Summen Geldes nach Amerika überführt.

Ich habe mit Witberg zwei Jahre in einem Hause gewohnt und bin nachdem bis zu meiner Abreise mit ihm in beständigem Verkehr geblieben. Er hatte nicht einmal das tägliche Brod gerettet, seine Familie lebte in der äußersten Armuth.

Zur Charakteristik dieser und aller ihr in Rußland ähnlichen Sachen will ich ein Paar Episoden aus ihr anführen, die mir besonders lebhaft im Gedächtniß geblieben sind.

Witberg hatte der Bauten halber eine Waldung vom Kaufmann Lobanoff gekauft. Ehe das Holzfällen begonnen ward, bekam Witberg eine andere Waldung zu Gesicht, die ebenfalls Lobanoff zugehörte und näher am Flusse war. Er bot dem Eigenthümer an, die bereits für den Kirchenbau gekaufte gegen letztere einzutauschen. Der Kaufmann

ging darauf ein. Der Hain wurde gefällt, das
Bauholz nach dem Bestimmungsorte geflößt. —
Späterhin wurde es erforderlich, noch einen Hain
anzukaufen, und Witberg kaufte von neuem den er-
steren. — Hieraus machte man die bekannte Anklage gegen Witberg, daß er zweimal einen und
denselben Wald gekauft habe. — Der unglückliche
Lohanoff wurde in ein Zuchthaus eingesperrt, wo
er auch gestorben ist.

Die zweite Episode fand vor meinen Augen
Statt. — Witberg kaufte für die Kirche Besitzlich-
keiten an. Seine Absicht war, daß die leibeigenen
Bauern, welche mit dem Lande für die Kirche an-
gekauft wurden, sich verpflichten sollten, eine gewisse
Zahl Arbeiter aufzustellen, wofür das Dorf vollkommene Freiheit erhielt. Ergötzlich ist es, daß unsere
Senatoren, die alle Gutsbesitzer sind, in dieser Maßregel eine Art von Sklaverei erblickten.

Unter anderen wollte Witberg von meinem Vater ein Gut kaufen, welches im Rus'schen Kreise am
Ufer der Moskau gelegen ist. In diesem Dorfe
hatte man Marmor gefunden, und Witberg bat um
Erlaubniß, eine geologische Erforschung vornehmen
zu dürfen, um dessen Quantität zu ermitteln. Mein
Vater willigte ein. Witberg reiste ab nach Petersburg.

Ungefähr drei Monate später erfährt mein Vater, daß das Steinbrechen in großem Maßstabe getrieben wird und die Herbstfelder der Bauern mit
Marmor bedeckt werden. Er protestirt dagegen, man
hört ihn nicht. Es entsteht ein hartnäckiger Proceß. Anfangs wollte man die ganze Schuld auf
Witberg schieben, leider aber erwies es sich, daß er
keinen Befehl ertheilt hatte, und daß Alles, während seiner Abwesenheit, vom Comité angeordnet
worden war.

Die Sache kam in den Senat. Zur allgemeinen Verwunderung entschied der Senat
ziemlich vernünftig. Der gebrochene Stein sollte
dem Gutsbesitzer überlassen und die Arbeit des
Steinbrechens ihm als Entschädigung für die zertretenen Felder angerechnet werden. Die vom Fis-
cus verbrauchte Geldsumme, circa hundert tausend
Rubel Banko, sollte von den Unterzeichnern des
Contracts über die Arbeiten eingefordert werden. —
Die Unterzeichner aber waren: Fürst Galizin, Philaret und Kuschnikow. Also natürlich — Geschrei
und Lärm. — Die Sache wurde an den Kaiser
gebracht.

Er hat nun seine eigene Jurisprudenz. Er
befahl, die Schuldigen von der Zahlung zu befreien, da — so hat er höchsteigenhändig geschrie-

ben, und so steht es auch gedruckt in dem Se-
nats-Memorial — „da die Mitglieder des Comité
nicht wußten, was sie unterzeichneten." — Angenommen nun auch, daß der Metropolit, seinem
Amte nach, sich demüthig erweisen mußte, wie nehmen sich aber dabei die anderen großen Herren aus,
die ein so höflich und gnädig motivirtes Geschenk
angenommen haben?

Von wo aber die hunderttausend hernehmen? —
Kroneigenthum, sagt man ja, kann weder im Feuer
verbrennen, noch im Wasser untergehen. — (Nur
gestohlen wird es, könnten wir hinzusetzen.) — Was
ist dabei lange zu bedenken? schnell einen General-
Adjutanten per Post nach Moskau, die Sache zu
untersuchen.

Strekalow untersuchte, regulirte, arrangirte
und beendigte Alles in einigen Tagen: — Der
Stein soll dem Gutsbesitzer genommen werden gegen die für das Brechen bezahlte Summe; wünscht
aber der Gutsbesitzer, den Stein zu behalten, so
sollen hunderttausend Rubel von ihm gefordert werden; — besondere Entschädigung kommt dem Gutsbesitzer deshalb nicht zu, weil der Werth seines Gutes durch die Entdeckung einer neuen Reichthums-
Quelle in demselben erhöht worden ist — (Das ist
meisterhaft!) — übrigens für die zertretenen Bauern-

felber sollen so und so viel Kopeken per Morgen
bezahlt werden nach einem von Peter dem I. bestätigten Ukas über überschwemmte und abgeweidete
Wiesen.

Sie sehen, daß der dabei Bestrafte eigentlich
mein Vater war. Es ist überflüssig hinzuzusetzen,
daß das Steinbrechen im Procesfe dennoch auf Witberg's Rechnung geschoben wurde.

Ein Paar Jahre nachdem Witberg verschickt
worden, beschloß die Kaufmannschaft von Wätka, eine
neue Kirche zu bauen.

Um jeden Funken von Unabhängigkeit, Per-
sönlichkeit, Phantasie und Willen überall und in
Allen zu tödten, hat Nikolaus einen ganzen Band
von allerhöchst bestätigten Kirchen-Façaden ausgegeben. Wer eine Kirche bauen will, muß durchaus einen von diesen Kronplänen wählen. — Man
sagt, der Kaiser habe verboten, russische Opern zu
schreiben, da er gefunden hat, daß die vom Flügel-
Adjutanten Lvoff in der III. Abtheilung seiner höchst-
eigenen Kanzlei componirten gar nichts taugen. Das
ist aber nicht genug; warum sollte er nicht eine
Sammlung von allerhöchst bestätigten Melodien
ausgeben?

Die Kaufmannschaft von Wätka hatte die Dreistigkeit, die „approbirten" Pläne durchsehend, mit

Herzen's Verbannung.   14

des Kaisers Geschmack nicht übereinzustimmen. Sie
bat um Erlaubniß, eine Kirche zu errichten nicht
blos für ihr eigenes Geld, sondern auch nach ihrem
eigenen Plane. Das von ihr vorgelegte Projekt
setzte den Kaiser in Erstaunen; er bestätigte es und
befahl der Provinzial-Obrigkeit, bei dessen Ausfüh-
rung die Idee des Architekten nicht zu verunstalten.

— „Wer hat dieses Projekt entworfen?" fragte
er den Staats-Secretair.

— „Witberg, E. M."

— „Wie, d e r Witberg?"

— „Derselbe, E. M."

Und sieh! Da fällt die Dispensation, nach
Moskau oder nach Petersburg zurückzukehren, dem
Witberg wie ein Ziegelstein aufs Haupt. Der
Mensch hatte um die Erlaubniß gebeten, sich zu
rechtfertigen — man schlug sie ihm ab; er macht
einen gelungenen Plan — und der Kaiser befiehlt,
ihn heimkehren zu lassen, — als hätte Jemand je
an Witberg's Künstler-Talente gezweifelt.

In Petersburg, vor Armuth untergehend,
machte er einen letzten Versuch, seine Ehre zu vertheidigen. Es mißlang ihm gänzlich. Witberg
wandte sich an den Fürsten Galitzin, der Fürst hielt
es aber für unmöglich, die Sache von neuem auf-
zunehmen und ertheilte Witberg den Rath, einen

möglichst kläglichen Brief an den Thronfolger zu schreiben und ihn um Geldunterstützung anzuflehen. Er versprach, in Gemeinschaft mit Jukowsky sich für ihn zu verwenden, und stellte tausend Rubel Silber in Aussicht. — Witberg lehnte es ab, dies zu thun.

Im Anfang des Winters 1846 war ich zum letzten Mal in Petersburg und sah Witberg. Er ging gänzlich zu Grunde; sogar sein ehemaliger Ingrimm gegen seine Feinde, den ich in ihm so liebte, begann abzunehmen. Er hatte keine Hoffnung mehr und unternahm Nichts, um aus seiner Lage herauszukommen; eine gleichmüthige Verzweiflung lastete auf ihm, sein Wesen war in allen Gliedern gebrochen. Er harrte auf den Tod.

Wenn Nikolaus dieses erzielte, so kann er zufrieden sein.

Ist der Märtyrer wohl noch am Leben? — ich weiß es nicht, zweifle aber.

„Hätte ich nicht meine Familie, meine Kinder" — sagte er mir, als wir von einander Abschied nahmen — „ich würde aus Rußland flüchten, durch die Welt wandern mit meinem Ordensbande um den Hals und ruhig den Vorbeigehenden die Hand nach Almosen ausstrecken, dieselbe Hand, welche Kaiser Alexander drückte, und dann würde

14*

ich ihnen mein Projekt und das Loos eines Künstlers in Rußland erzählen."

„Dein Loos, Märtyrer," dachte ich, „wird in
Europa bekannt werden, dafür stehe ich dir."

Das Zusammenleben mit Witberg war für mich
eine große Wohlthat in Wätka. Seine ernste Of-
fenheit und eine Art von Feierlichkeit in seinem Um-
gange mit Menschen gaben ihm ein gewisses geisti-
ges Ansehen. Er war äußerst rein in seinen Sitten
und überhaupt mehr zum Asketismus, als zum Ge-
nuß geneigt. Aber die Strenge seines Charakters
that der Ueppigkeit, dem Reichthum seines künstle-
rischen Naturels keinen Abbruch. Er verstand, seinem Mysticismus solch' eine Plasticität, solch' ein
schönes Colorit zu verleihen, daß Einem der Widerspruch auf den Lippen erstarb, daß es Einem
leid that, die schimmernden Umrisse, die in Nebel
gehüllten Bilder seiner Phantasie einer Analyse,
einer Zergliederung zu unterwerfen.

Witberg's Mysticismus lag in seinem Skandi-
naven-Blut. Es war eben jene kalt besonnene
Schwärmerei, welche man bei Swedenborg sieht,
und welche zugleich dem feurigen Abglanz der Son-
nenstrahlen gleicht, die auf Norwegens Eis-Ge-
birge fallen.

Ein paar Mal gelang es Witberg, mich zum Schwanken zu bringen. Aber meine realiſtiſche Natur gewann bald die Oberhand. — Nein, mir iſt es nicht vergönnt, mich in den dritten Himmel emporzuſchwingen, ich bin zu einem ganz irdiſchen Menſchen geboren. Unter meinen Händen drehen ſich keine Tiſche, mein Blick ſetzt keine Ringe in Bewegung; das Tageslicht des Gedankens iſt mir verwandter als der Mondſchein der Phantaſie. — Aber eben in jener Epoche, als ich mit Witberg lebte, war ich mehr als je zum Myſticismus geneigt. Ich war religiös, — wenn auch meine Religion nicht von jenſeits der Sterne ſtammte . . .

. . . . Wie doch Alles im Leben verworren und ſonderbar iſt! — In jenem abgelegenen Winkel der Erde, in Wätka, — in dieſem ſchmutzigen Beamten-Kreiſe, dieſem traurigen Exil, von Allem, was mir lieb war, getrennt, — welche wunderſchöne, heilige Augenblicke habe ich da nicht erlebt!

X.

Briefwechsel.

Zweimal wöchentlich kam in Wätka die Post aus Moskau an. — Mit welcher Gemüthsbewegung wartete ich jedes Mal beim Post-Comptoir die Sortirung der Briefe ab! mit welchem Beben brach ich das Siegel auf und suchte in den Briefen, die mir von Hause kamen, ob in ihnen nicht ein kleiner Zettel sei, fein und schön auf feines Papier geschrieben!.... Und dann las ich ihn nicht in dem Post-Comptoir, sondern ging langsam nach meiner Wohnung, den Augenblick des Lesens aufschiebend und mich an dem Gedanken freuend, daß ein Zettel da sei . . . .
. . . .
. . . .

Alle diese Briefe sind aufbewahrt. Ich habe sie in Moskau zurückgelassen. Wie gerne möchte ich ſie noch ein Mal durchleſen! — und dennoch fürchte ich, ſie zu berühren. Briefe ſind mehr als Erinnerungen, auf ihnen iſt das Blut der Ereigniſſe geronnen, ſie ſind die Vergangenheit ſelbſt, ſo wie ſie geweſen iſt —— erhalten und unverweslich....

...Wozu denn noch ein Mal erkennen, ſehen, berühren — wozu mit vor Alter gerunzelten Händen ſeinen Trauungs-Schmuck berühren?....

———

XI.

Der Thronfolger in Wätka. — Tüfäyeff's Sturz. — Ueber:
siedlung nach Wladimir. — Ein Kreishauptmann auf
Untersuchung.

———

Der Thronfolger kommt nach Wätka! Der
Thronfolger durchreist Rußland, es zu besehen und
sich vom Lande besehen zu lassen! —

Von dieser Neuigkeit waren Alle, mehr als
Alle aber, versteht sich, der Gouverneur betroffen.
Er gerieth in große Schwulitäten und beging eine
Menge unglaublicher Dummheiten; er befahl den
Bauern, die am Wege wohnten, in Festtags-Röcken
gekleidet zu sein, in den Städten befahl er, die
Zäune umzufärben und die Trottoirs umzupflastern.

Im Städtchen Orloff kündigte eine arme
Wittwe, die Eigenthümerin eines kleinen Hauses
war, dem Stadtvogt an, daß sie zur Ausbesserung
des Trottoirs kein Geld habe. Der Stadtvogt
schickte hierüber einen Bericht an den Gouverneur.

Dieser befahl, die Dielen aus dem Hause der Wittwe
zu nehmen (die Trottoirs sind dort hölzerne) und,
im Falle daß die Dielen nicht hinreichten, die Ausbesserung auf Kronkosten zu machen, später aber das
hierauf verwandte Geld von der Wittwe einzufor-
dern, sollte man auch hiezu ihr Haus in öffentlicher Versteigerung verkaufen müssen. — Zur Versteigerung kam es nicht, die Dielen aber wurden
bei der Wittwe aufgebrochen.

Funfzig Werst ungefähr von Wätka ist ein
Flecken, in welchem den Nowgorodern das wunder-
thätige Heiligenbild Nikolaus des Chlynowschen er-
schienen ist. Als die Nowgoroder sich in Chlynow
(so wurde vor Alters Wätka geheißen) ansiedelten,
übertrugen sie dahin das Bild; es verschwand aber
und erschien von neuem auf dem Flusse Welikaya,
funfzig Werst von Wätka. Die Nowgoroder trugen
es noch ein Mal hinüber, thaten aber zugleich das
Gelübde, daß, falls das Heiligenbild in Wätka bliebe,
es jedes Jahr, wenn ich nicht irre am 23. Mai, in
feierlicher Procession an die Ufer des Flusses Welikaya getragen werden solle. Dies ist das Hauptfest
im Wätkaschen Gouvernement. — Am Vorabend des
Festtages wird das Heiligenbild auf einem Floße
den Fluß entlang geführt, begleitet von Prälaten
und von der sämmtlichen Geistlichkeit in vollem

Ornate. Hunderte von allerlei Böten, Flößen, Barken, mit Bauern und Bäuerinnen, Wotäken und Bürgern besetzt, folgen in bunter Menge dem schwimmenden Heiligenbilde. Und vor allen — die Barke des Gouverneurs mit einem Verdeck und mit rothem Tuche überzogen. — Dieser wilde Anblick ist nicht übel. Tausende von Menschen aus den nächsten und entfernteren Kreisen erwarten das Heiligenbild am Ufer der Welikaya. All dieses Volk zieht nomadisch in geräuschvollen Gruppen um ein kleines Dorf herum, und — was das Sonderbarste ist — eine Menge ungetaufter Wotäken und Tscheremissen, ja sogar Tataren, kommen dahin, das Heiligenbild anzubeten. Daher hat aber auch das Fest ein rein heidnisches Aussehen. Jenseits der Mauer des Klosters opfern Wotäken und Russen Kälber und Schafe. Sie werden auf der Stelle selbst geschlachtet, ein Priester-Mönch spricht über sie Gebete und segnet und heiligt das Fleisch, das man durch ein besonderes Fenster von der inwendigen Umzäunung herreicht. Dieses Fleisch wird stückweise unter das Volk vertheilt. Ehemals gab man es umsonst, jetzt erheben die Mönche einige Kopeken für jedes Stück, so daß ein Bauer, der ein ganzes Kalb zum Geschenk gebracht hat, ein Paar Groschen ausgeben muß, um ein Stück davon zur Speise für sich zu erhalten. Auf dem Hofe des Klosters sitzen Bettler, Krüppel, Blinde, allerlei Verunstaltete haufenweise und singen im Chor das Lazarus-Lied. Junge Pfaffensöhne und Bürgerbuben haben sich auf den Grabdenkmälern neben der Kirche, mit Tintenfäßchen versorgt, gelagert und rufen aus: „Wem Seelenmeßbücher zu schreiben, wem Seelenmeßbücher?" — Weiber und Mädchen umringen sie, ihnen die Namen zu diktiren. Die Buben, verzweifelt mit der Feder knarrend, sprechen nach: „Maria, Maria, Akulina, Stephanida, Vater Johann, Matröna — Nun, Tante, die deinigen — sieh! hat nur einen Groschen spendirt! — Nein, weniger als ein Fünfkopekenstück kann man nicht nehmen, sieh doch, wie viel Verwandte da sind, wie viel Verwandte — — Johann, Waßilißa, Jonas, Maria, Eupraxia, Kind Katharina".....

In der Kirche — Gedränge und sonderbare Ceremonien: da überreicht ein Weib ihrem Nachbar eine Kerze mit dem genauen Auftrage, sie dem „Gast", eine andere sagt: dem „Wirthe", zuzustellen*). Die Mönche und Priestergehülfen sind stets betrunken während der ganzen Procession.

---

*) Nämlich: vor das auf Besuch gekommene, oder vor das in der Kirche bleibende Heiligenbild.

Unterwegs halten sie in den großen Dörfern an, und da werden sie von den Bauern bis zur Völlerei bewirthet.

Dieses Volksfest nun, an welches die Bauern seit Jahrhunderten gewöhnt sind, wollte der Gouverneur auf einen anderen Tag verlegen, um den Thronfolger mit dessen Anblick zu belustigen. Der Thronfolger sollte am 19. Mai ankommen. Was kann es, meinte der Gouverneur, Sankt Nikolaus dem Gaste ausmachen, wenn er dies Mal drei Tage früher zu St. Nikolaus dem Wirthe zum Besuch kommt? — Hiezu war die Einwilligung des Prälaten erforderlich, und glücklicherweise war letzterer ein gefälliger Mensch, welcher Nichts gegen den Vorsatz des Gouverneurs, den 23. Mai am 19ten zu feiern, einzuwenden fand.

Tüfäyeff schickte dem Kaiser ein Register aller der klugen Maßregeln, welche er zum Empfang des Thronfolgers genommen hatte, — der Vater sollte sehen, wie man sein Söhnchen fêtirte. Der Kaiser, den Bericht durchlesend, wurde wüthend und sagte dem Minister des Inneren: der Gouverneur und der Prälat sind Narren, das Fest soll bleiben, wie es war. Der Minister gab dem Gouverneur einen Auspußer, die Synode dem Prälaten, und Nikolaus der Gast blieb bei seinen alten Gewohnheiten.

Unter den verschiedenen aus Petersburg zuge=
sandten Verordnungen befand sich ein Befehl, in
jeder Gouvernements-Stadt eine Ausstellung der
Erzeugnisse der Gegend zu veranstalten und dieselben
nach den drei Reichen der Natur zu classificiren.
Diese Classification nach den Naturreichen kam der
Kanzlei und theils auch Tüsäyeff sehr beschwerlich
vor. Um keinen Fehler zu begehen, entschloß er
sich, ungeachtet seiner Mißgunst gegen mich, mich
zu Rathe zu ziehen. — Wohlan, nehmen wir zum
Beispiel Honig — sagte er — zu welchem Reiche
gehört Honig? — Als er aus meinen Antworten
ersah, daß ich wunderbar genaue Kenntnisse von den
drei Reichen der Natur besitze, schlug er mir vor, daß
ich die Einrichtung der Ausstellung übernehmen solle.

Unterdessen ich mich mit der Classification von
Holzgeschirr und Wotäken-Schmuck, von Honig und
gußeisernen Gittern beschäftigte, und Tüsäyeff fort=
fuhr, grausame Maßregeln zu vorzüglicher Befrie=
digung „Seiner kaiserlichen Hoheit" zu treffen, ge=
rühte letztere, in Orloff anzukommen, — und es
verbreitete sich das schreckenerregende Gerücht vom
Arrest des Orloff'schen Stadtvogts in der Stadt; —
Tüsäyeff wurde etwas gelblich im Gesicht, und sein
Schritt schien etwas wankend zu werden.

Fünf Tage ungefähr vor der Ankunft des

Thronfolgers in Orloff hatte der Stadtvogt an
Tüsäyeff geschrieben, daß jene Wittwe, bei der man
die Dielen aufgebrochen hatte, tobe, und daß ein
gewisser in dem Städtchen bekannter reicher Kaufmann sich gerühmt habe, den ganzen Vorfall zur
Kenntniß des Thronfolgers bringen zu wollen. —
In Betreff dieses Kaufmanns verfuhr Tüsäyeff
äußerst klug; er befahl dem Stadtvogt, ihn als des
Wahnsinns verdächtig zu erklären (Petrowski's Beispiel gefiel Tüsäyeff) und nach Wätka zur Besich-
tigung zu expediren. Während man dann die Sache
in die Länge zöge, würde der Thronfolger das
Wätkasche Gouvernement verlassen, und damit wäre
die Sache zu Ende. Der Stadtvogt erfüllte Alles';
der Kaufmann saß in Wätka in einem Krankenhause.

Endlich kam der Thronfolger. Trocken grüßte
er Tüsäyeff, lud ihn nicht zu seiner Tafel und schickte
sogleich Dr. Henochin, den verhafteten Kaufmann zu
besichtigen. Er wußte die ganze Sache; die Wittwe
hatte ihm eine Bittschrift eingereicht, andere Kaufleute und Bürger erzählten ihm Alles, was vor-
gegangen war. — Tüsäyeff wurde noch um ein Paar
Grad krummer.

Es war für ihn eine arge Sache. Der Stadtvogt hatte geradeaus erklärt, er habe für Alles

schriftliche. Befehle vom Gouverneur erhalten. Dr.
Jenochin versicherte, der Kaufmann sei gänzlich gesund. — Tüfäyeff war verloren.

Gegen acht Uhr Abends kam der Thronfolger mit
seinem Gefolge, um die Ausstellung in Augenschein
zu nehmen. Tüfäyeff führte ihn durch das Lokal,
indem er ihm Alles ganz verwirrt erklärte und fortwährend von einem Zar Tochtamysch redete. Als
Jukowsky und Arseniew gewahr wurden, daß es
nicht recht gehe, wandten sie sich zu mir mit der
Bitte, ihnen die Ausstellung zu zeigen. Ich übernahm das Amt des Führers.

Die Physiognomie des Thronfolgers hatte nicht
den Ausdruck jener engherzigen Strenge, jener kalten, unbarmherzigen Grausamkeit, welche in dem
Gesichte seines Vaters liegt; seine Züge deuteten
eher auf Gutmüthigkeit und Trägheit. Er war ungefähr zwanzig Jahre alt, und doch war in ihm
schon ein Anflug von Dickleibigkeit bemerkbar. Die
wenigen Worte, welche er mir sagte, waren höflich,
und er sprach sie mit einer Stimme, die weder den
heiseren, abgebrochenen Ton der Anreden Konstan-
tins, seines Onkels, hatte, noch seines Vaters Lieb-
lings-Gewohnheit verrieth, den Zuhörer von Anfang
an bis zur Ohnmacht einzuschüchtern.

Als er weggefahren war, befragten mich Ju-

towsky und Arseniew, wie ich nach Wätka gerathen
sei; sie waren verwundert, bei einem Beamten
des Gouvernements Wätka die Redeweise eines ordent-
lichen Menschen anzutreffen. Sie boten mir sogleich
an, dem Thronfolger von meiner Lage zu sprechen,
und sie haben auch wirklich Alles gethan, was sie
nur thun konnten. Der Thronfolger machte dem
Kaiser den Vorschlag, mir zu erlauben mich nach
Petersburg zu übersiedeln. Der Kaiser antwortete,
dies würde hinsichtlich der anderen Verwiesenen un-
gerecht sein, aber, des Thronfolgers Vorstellung in
Erwägung nehmend, befahl er, mich nach Wladimir
zu überführen. — Das war eine geographische Lin-
derung — 700 Werst weniger. — Doch hierüber
später. —

Des Abends war Ball in der Adelsversamm-
lung. Die Musikanten, welche von einem benachbarten Hüttenwerk verschrieben worden waren, kamen gänzlich betrunken an. Der Gouverneur ver-
fügte über sie in der Art, daß sie vierundzwanzig
Stunden vor dem Ball in's Polizeihaus eingesperrt,
von da direkt unter polizeilicher Bedeckung nach dem
Chor gebracht und von hier bis zum Ende des
Balls auf keinen einzigen Augenblick herausgelassen
wurden.

Der Ball fiel dumm, unbeholfen, allzu ärm-

lich und allzu bunt aus, wie es in kleinen Städten
bei außerordentlichen Gelegenheiten immer der Fall
ist. Die Polizeidiener liefen hastig hin und her,
die Beamten in ihren Gala-Uniformen drängten sich
an den Wänden, die Damen um den Thronfolger
herum, wie Wilde sich um Reisende zu drängen
pflegen.

... A propos von Damen — in einem der
Städtchen auf der Reise war ein „goûté" nach der
Ausstellung vorbereitet. Der Thronfolger aß nichts
als einen Pfirsich, dessen Kern er durch das Fenster wegwarf. Hierauf sondert sich plötzlich aus dem
Haufen der Beamten die hohe, mit Spiritus ange-
füllte Figur eines jungen, als Trunkenbold aner-
kannten Assessors ab. Mit gemessenen Schritten be-
giebt er sich zum Fenster, hebt den Kern auf und
steckt ihn in die Tasche. — Nach dem Ball oder
„goûté" nähert er sich einer der vornehmsten Damen und präsentirt ihr den Allerhöchst benagten
Kern. Die Dame ist entzückt. — Darauf geht er
zu einer anderen, zu einer dritten — alle sind entzückt. — Der Assessor hatte fünf Pfirsiche gekauft,
schnitt die Kerne aus und beglückte so sechs Damen. Welche hatte den echten Kern? — Eine jede
von ihnen zweifelte nicht an der Echtheit ihres
Kernes.

Herzen's Verbannung.   15

Nach der Abreise des Thronfolgers bereitete sich Tütäjeff, sein Paschalik gegen einen Senator-Sessel zu vertauschen. Es fiel aber ärger aus.

Drei Wochen später brachte die Petersburger Post Papiere unter der Adresse: „Dem das Gouvernement Verwaltenden." Die ganze Kanzlei gerieth in Alarm. Der Registrator der Gouvernements-Verwaltung kam angelaufen, um zu sagen, daß man daselbst einen Ukas erhalten habe. Der Haupt-Secretair stürzte zu Tütäjeff. Tütäjeff meldete sich krank und fuhr nicht in die Behörde. — Eine Stunde darauf erfuhren wir — er war verabschiedet sans phrase.

Die ganze Stadt gerieth in Freude über den Sturz des Gouverneurs. Seine Verwaltung hatte etwas Erstickendes, Unreines, Moderhaft-rechtsverdreherisches an sich; und dennoch war es ekelhaft, den Jubel der Beamten anzusehen. — Ja, mehr als Ein Esel gab diesem angeschossenen Eber einen Hufschlag. Die menschliche Niederträchtigkeit kam hier nicht minder als bei Napoleons Sturz zum Vorschein, ungeachtet des Unterschiedes im Maaßstabe der Umstände. — Die ganze letzte Zeit war ich mit ihm in offenem Streit, und er hätte mich gewiß nach irgend einem Flecken, wie Kai, verschickt, hätte man ihn nicht selbst verjagt. Ich hatte mich

von ihm immer fern gehalten, und ich hatte Nichts
in meinem Benehmen gegen ihn zu ändern. Aber
die Anderen, die noch gestern den Hut zogen, sobald
sie nur seinen Wagen erblickten, die ihm Alles an
den Augen absahen, seinem Hunde zulächelten, seinem Kammerdiener ihre Tabaksdosen anboten —
dieselben Menschen grüßten ihn nun kaum und
schrieen laut über die Gesetzlosigkeiten, welche er mit
ihnen zusammen begangen hatte. — Dies Alles
ist so alt und wiederholt sich so beständig von einem
Zeitalter zum anderen und aller Orten, daß wir
diese Gemeinheit als einen allgemeinen Zug des
menschlichen Charakters ansehen müssen, oder wenigstens über sie nicht zu erstaunen brauchen.

Darauf kam ein neuer Gouverneur an, ein
Mensch von ganz anderer Art, — von hohem Wuchs,
dick und lymphatisch locker, circa funfzig Jahre alt,
mit einem angenehm lächelnden Gesichte und abge-
schliffenen Manieren. Er drückte sich mit einer
außerordentlich grammatischen Richtigkeit, weitläufig,
umständlich und mit einer Klarheit aus, welche im
Stande war, durch ihr Uebermaß den allereinfachsten
Gedanken zu verwirren. Er war ein Zögling des
Lyceums, ein Gefährte Puschkin's, hatte in den Gar-
den gedient, kaufte neue französische Bücher, liebte
es, sich über wichtige Gegenstände zu unterhalten

15*

und gab mir am Tage nach seiner Ankunft Tocque-
ville's Werk De la démocratie en Amérique.

Der Wechsel war ein sehr schroffer, es waren
dieselben Zimmer, dieselben Möbel, aber an der
Stelle des Tataren-Baskaks mit tungusischem Aeußeren und sibirischen Gewohnheiten saß ein Doctrinär,
der etwas pedantisch, aber dennoch ein ordentlicher
Mensch war. — Dieser neue Gouverneur hatte Verstand, aber! sein Verstand leuchtete, so zu sagen,
ohne zu erwärmen, ungefähr gleich einem klaren
Wintertage, der seine Annehmlichkeiten hat, aber von
welchem keine Früchte zu erwarten sind. Dazu war
er ein furchtbarer Formalist — nicht in der Art
der gerichtshöflichen Formalisten, sondern .... wie
soll man das ausdrücken?— sein Formalismus war
zweiten Grades, dabei aber doch eben so langweilig,
wie alle anderen.

Da der neue Gouverneur wirklich verheirathet
war, so verlor das Gouverneurs-Haus seinen bis
dahin ultra-hagestolzischen und polygamischen Anstrich. Dies wandte denn alle Räthe ihren Räthin-
nen zu; kahlköpfige Greise prahlten nicht mehr mit
Streifzügen à la Don Juan, sondern sprachen im
Gegentheil recht zärtlich von ihren verwelkten, hart
und eckig verknöcherten oder bis zur Unmöglichkeit
eines Aderlasses mit Fett begabten Gemahlinnen.

Einige Jahre ehe der Gouverneur nach Wätka kam, war derselbe direkt aus einem Garde-Obrist in einen Civil-Gouverneur, ich erinnere mich nicht welches Gouvernements, umgewandelt. Er trat seine Statthalterschaft an ohne irgend eine Kenntniß der Geschäfte.

Anfänglich unternahm er, wie alle Neulinge thun, Alles durchzulesen. Da kam ihm aber aus einem anderen Gouverment ein Papier zu Händen, das er ein, zwei, drei Mal durchlas, ohne dessen Inhalt verstehen zu können. Er ließ seinen Secretair kommen und gab es ihm zu lesen. Der Secretair war ebenfalls nicht im Stande, auseinanderzusetzen, wovon es sich handle.

— „Was werden Sie nun mit diesem Papiere thun, wenn ich es Ihnen in die Kanzlei gebe?" fragte K.

— „Ich werde es an den dritten Tisch abfertigen, es betrifft den dritten Tisch."

— „Also weiß der Vorsteher des dritten Tisches, wovon es sich handelt?"

— „Wie sollte er es nicht wissen, Ew. Excellenz! — er verwaltet ja seinen Tisch nun schon das siebente Jahr."

— „Sagen Sie ihm, er solle zu mir kommen."

Der Tischvorsteher kam. — K. überreichte ihm

das Papier und fragte, was hiebei zu thun sei. —
Der Tischvorsteher sah die Schrift flüchtig durch
und meinte, es müsse eine Anfrage an die Finanz-
kammer und ein Befehl an den Kreishauptmann abgefertigt werden.

— „Ja was soll denn aber befohlen werden?"
Der Tischvorsteher gerieth in Verlegenheit und
gestand zuletzt, dies sei schwer mündlich zu sagen,
aber schriftlich lasse es sich leicht abfassen.

— „Nehmen Sie hier einen Stuhl und schreiben Sie die Antwort."

Der Tischvorsteher griff zur Feder und in Einem
Zuge hatte er zwei Papiere aufgesetzt. — Der
Gouverneur nahm sie, las sie durch, las sie noch
ein zweites Mal durch .... Unmöglich — irgend
einen Sinn herauszufinden.

„Da sah ich", erzählte er selbst mit Lächeln,
„daß dies wirklich eine Antwort auf jenes Papier
war — und, mit Gottes Segen, unterschrieb ich es.
Nie war mehr die Rede von diesem Geschäfte —
die Antwort muß vollkommen genügend gewesen
sein."

Ich schied von dem Wätkaschen Gesellschafts-
kreise in herzlichem Einverständniß. — In jener
entlegenen Stadt habe ich zwei, drei redliche Freunde
unter den jungen Kaufleuten gefunden. Ich bin

sicher, einige von ihnen erinnern sich noch jetzt meiner und haben nicht Alles das vergessen, worüber wir ganze Abende hindurch in einer kleinen Stube uns unterhalten haben, während draußen eine Kälte von 25 bis 30 Grad (Reaumur) war. — Sie wetteiferten unter einander, dem Verwiesenen ihre Theilnahme und Freundschaft zu bezeugen. Mehrere Schlitten begleiteten mich bei meiner Abreise bis zur ersten Station, und so sehr ich mich auch dagegen sträubte, eine ganze Ladung von Provision und Wein wurde in mein Fuhrwerk gestellt.

.... Am folgenden Morgen kam ich in Jaronsk an.

Von Jaronsk an geht der Weg durch endlose Fichtenwälder. Des Nachts war Mondschein und Frost, der kleine Schlitten glitt rasch über den schmalen Weg. — Solche Wälder habe ich nachdem nie wieder gesehen. Sie ziehen sich ununterbrochen bis nach Archangelsk fort, von wo Rennthiere bisweilen durch sie hindurch in das Gouvernement Wätka kommen. Meistentheils besteht der Wald aus Bauholz. — Die zum Erstaunen geraden Fichten zogen vor meinem Schlitten gleich Soldaten vorüber, hoch und schnee-bedeckt, und ihre Nadeln ragten aus dem Schnee gleich Borsten hervor.... Man schläft ein, man wacht auf, die Regimenter der Fichtenbäume ziehen immer raschen Schrittes dem Schlitten

vorbei, dann und wann Schnee von sich abschüttelnd.
Und dann kommt die Post-Station auf einem kleinen ausgehauenen Platz; — da steht hinter den
Bäumen ein kleines Häuschen, das sich verirrt zu
haben scheint — die Pferde, an einen Pfahl ange-
bunden, läuten mit ihren Schellen — ein Paar
Tscheremissen-Knaben in gestickten Hemden kommen
verschlafen aus dem Hause gerannt — der Wotäk-
Postknecht beginnt mit einer heiseren Diskant-
Stimme sich mit seinem Gefährten herumzuzanken —
ruft hierauf: „Alba, Alba (rascher, rascher!) —
stimmt dann ein Lied von zwei Noten an....
Und wieder treten dem Auge Fichten und Schnee,
Schnee und Fichten entgegen....

Bevor ich die Grenze des Gouvernements
Wätka überschritt, hatte ich aber noch dem Beamtenthum ein Lebewohl zu sagen, und dies Mal —
zu guter Letzt — stellte es sich mir in seinem vollen
Glanze dar.

Wir hielten an einer Station an; der Fuhr-
mann begann die Pferde abzuspannen. Eine lange
Bauernfigur zeigte sich im Vorhause und fragte den
Fuhrmann, wer da reise.

— „Wissen nicht — aus dem Gouvernement“, —
war die Antwort.

Hierauf wandte sich der Bauer an mich und fragte mit grober Stimme:

— „Wer ist der Reisende?"

— „Was geht das dich an?"

— „'s geht mich so viel an, daß der Kreishauptmann es befohlen hat; und ich Gerichtsdiener bin."

— „So geh' denn in's Posthaus, da ist mein Reisepaß."

Der Bauer ging weg. Nach einem Augenblicke kam er zurück und sagte dem Fuhrmann: „Ihm keine Pferde geben!"

Da riß mir die Geduld. Ich sprang aus dem Schlitten und ging in's Bauernhaus. — Ein halbbetrunkener Kreishauptmann saß auf einer Bank und diktirte seinem halb-betrunkenen Schreiber. Auf einer anderen Bank, in einer Ecke, saß — oder richtiger, lag — ein Mensch, mit Ketten an Händen und Füßen. Einige Weinflaschen, Gläser, Tabaksasche und Stöße Papier waren in der Stube durcheinander geworfen.

— „Wo ist der Kreishauptmann?" sagte ich laut, sobald ich hereintrat.

— „Hier ist der Kreishauptmann", antwortete mir der halb-betrunkene Lazareff, welchen ich in Wätka gesehen hatte. — Dabei stierte er mich frech

und grob an. Plötzlich aber sprang er mit ausgebreiteten Armen auf mich zu.

Ich muß hiebei bemerken, daß nach Tüfäyeff's
Absetzung die Beamten, da sie mein ziemlich gutes
Verhältniß zum neuen Gouverneur sahen, mich etwas
zu fürchten angefangen hatten.

Ich hielt ihn mit der Hand zurück und fragte
sehr ernsthaft:

— „Wie konnten Sie befehlen, mir keine Postpferde zu geben? Was soll das heißen, auf großen
Wegen die Reisenden anzuhalten?"

— „Ich habe ja aber bloß gespaßt, erbarmen Sie
sich! — schämen Sie sich nicht, zu zürnen? —
Pferde! befiehl die Pferde vorzuspannen! — was
rührst du dich nicht vom Fleck, du Räuber!" schrie
er den Gerichtsdiener an. — „Thun Sie mir den
Gefallen, trinken Sie eine Tasse Thee mit Rum."

— „Ich danke."

— „Aber haben wir nicht Champagner?" ....
Er stürzte zu den Flaschen — alle waren leer.

— „Was machen Sie hier?" fragte ich ihn.

— „Eine Untersuchung — Sehen Sie, dieser
Bursche da hat seinen Vater und seine Schwester
mit einem Beil ermordet — in einem Zank — aus
Eifersucht."

— „Und deshalb schmausen Sie zusammen?"

Der Beamte wurde ein wenig verlegen. Ich blickte auf den Tscheremissen. Es war ein Mensch von ungefähr zwanzig Jahren; sein vollkommen orientalisches Gesicht mit schmalen, funkelnden Augen und schwarzen Haaren verrieth keine Spur von Grausamkeit.

Der Total-Anblick war ein so widriger, daß ich eiligst auf den Hof zurückkehrte. Der Kreishauptmann folgte mir auf den Fersen, in einer Hand ein Glas, in der anderen eine Flasche Rum haltend, und er ließ nicht ab mich zu bitten, ich sollte doch trinken. Um seiner los zu werden, trank ich. Er ergriff meine Hand und sagte:

— „Verzeihen Sie mir, o verzeihen Sie mir doch! Was ist dabei zu thun! Ich hoffe, Sie werden doch seiner Excellenz Nichts darüber sagen und einen edlen Mann nicht ins Unglück bringen."

Dabei ergriff er meine Hand und küßte sie, zehn Mal nach einander wiederholend; — „Um Gotteswillen, machen Sie einen edeln Menschen nicht unglücklich!"

Mit Abscheu entriß ich ihm die Hand und sagte: — „Lassen Sie 's gut sein! was habe ich für Noth zu erzählen!"

— „Womit könnte ich Ihnen aber meine Dienst-
fertigkeit beweisen?"

— „Damit, daß Sie nachsehen, daß die Pferde
rascher angespannt werden."

„Fixer!" — rief er aus — „Alda, Alda!" —
und lief selbst, um einige Riemen und Stricke am
Gespann fester zusammenzuziehen.

Dieser Vorfall hatte sich mir tief in's Gedächtniß eingeprägt.

Als ich im Jahre 1846 zum letzten Mal in
Petersburg war, mußte ich in die Kanzlei des Ministers des Inneren gehen, wo ich mir meinen Paß
in's Ausland zu holen hatte. Während ich mit
einem Tischvorsteher sprach, ging ein Herr vorbei.
Freundschaftlich schüttelte er die Hände den Mag-
naten der Kanzlei und herablassend grüßte er den
Tischvorsteher.

Potztausend, dachte ich, sollte es der sein!

— „Wer ist das?" fragte ich.

— „Lazareff — ein Beamter für specielle Aufträge des Ministers und in großer Gunst bei demselben."

— „Ist er nicht Kreishauptmann im Gouvernement Wätka gewesen?"

— „Ja wohl."

— „Nun, ich gratulire Ihnen, vor zehn Jahren hat er mir die Hand geküßt." — — — — —

— — — — — — — — — — — —

Herr Perovsky *) — muß man gestehen —
wählt meisterhaft seine Leute aus.

---

*) Damaliger Minister des Inneren.

XII.

Die ersten Monate meines Lebens in Wladimir.

———

.... Als ich in Kosmodemyansk aus dem Posthause heraustrat, um in den Schlitten zu steigen, fand ich ihn auf ruſſiſche Weiſe angeſpannt — die drei Pferde nebeneinander. Heiter läutete das Mittelpferd mit den Schellen ſeines Kummetbogens. — In Perm und Wätka werden die Pferde entweder alle drei hintereinander oder zwei nebeneinander und das dritte voran angeſpannt.

Mein Herz pochte laut beim Anblick unſeres volksthümlichen Geſpanns. — „Wohlan!" ſagte ich dem jungen Burſchen, der auf dem Bock ſeitwärts ſaß in ſeinem Schafspelze ohne Ueberzug, mit Fauſthandſchuhen, die ſo unbiegſam waren, daß er kaum das ihm von mir dargereichte Geldſtück faſſen konnte — „wohlan!" nun zeig' uns mal, wie euer einer fährt."

— „Werden Sie schon ehren, Herr. — Auf! ihr, meine Täubchen!" schrie er die Pferde an. Dann wandte er sich plötzlich zu mir um und sagte: „Nun, Herr, halten Sie sich jetzt nur fester — hier kömmt ein Berg, da werde ich die Pferde Reißaus nehmen lassen."

Wir waren an ein steiles Ufer der Wolga ge= kommen, und mußten es hinunter fahren, da der Winterweg über den zugefrorenen Fluß ging.

Er ließ auch wirklich den Pferden frei den Zü= gel schießen. Der Schlitten glitt nicht, sondern wurde rechts und links geschleudert, die Pferde jagten bergab; der Fuhrmann war ganz selig vor Freude — und auch ich, Gott verzeih' es mir, freute mich darüber. — O Russen=Natur! —

So fuhr ich per Post in's Jahr 1838 hinein, in das beste, hellste Jahr meines Lebens. — Ich will Ihnen erzählen, wie ich es begrüßt habe.

Achtzig Werst ungefähr vor Nijny=Novgorod traten wir — d. h. ich und mein Kammerdiener Mat= wey — in die Stube eines Postmeisters ein, um uns zu erwärmen. Draußen war es gar frostig, und windig dazu. Der Postmeister, ein magerer, kränklicher Mann von jämmerlichem Aussehen, machte sich an das Einschreiben meines Reisepasses in's Postbuch, indem er sich selber jeden Buchstaben vor=

diktirte und deſſen ungeachtet Fehler machte. Ich warf meinen Pelz ab und ging im Zimmer auf und nieder, in ungeheuren Pelzſtiefeln. Matwey wärmte ſich am glühenden Ofen. Der Poſtmeiſter murmelte, die hölzerne Wanduhr gab einen lahmen leiſen Laut . . .

— „Sehen Sie mal“, ſagte mir Matwey, „bald wird es zwölf ſchlagen — Neujahr! Neujahr! — und Sie haben wohl vergeſſen, wer jetzt auf Ihre Geſundheit trinkt!“ —

Und indem er auf mich einen halbfragenden Blick warf, fügte er hinzu:

— „Ich werde irgend Etwas aus dem Reiſebeſteck holen, welches man uns in Wätka in’s Fuhrzeug geſtellt hat.“

Ohne auf eine Antwort zu warten, lief er aus der Stube und brachte ein Paar Flaſchen und einen kleinen geflochtenen Sack.

Matwey, von dem ich ſpäter noch ſprechen werde, war für mich mehr als ein Diener; er war mir ein Freund, ein jüngerer Bruder. Ein Moskauer Bürger, dem uns aus dem erſten Theile dieſer Memoiren bereits bekannten Karl Iwanowitſch zur Erlernung der Buchbinderei (in welcher übrigens K. J. nicht beſonders kundig war) abgegeben, trat er in meinen Dienſt über.

Ich wußte, daß eine abschlägige Antwort Matwey kränken würde, und hatte im Grunde auch selbst Nichts dagegen, den Neujahrstag auf einer Poststation zu feiern. — Ist denn ein Neujahrstag nicht selbst eine Reisestation? —

Matwey hatte Schinken und Champagner gebracht. Es erwies sich, daß der Champagner fest gefroren war, den Schinken konnte man mit Beilen zerhauen; er war mit einer schimmernden Eiskruste bedeckt; aber — à la guerre, comme à la guerre.

„Auf's neue Jahr! auf neues Glück!" — Ich konnte wahrhaftig auf neues Glück anstoßen, denn war ich denn nicht auf dem Heimwege? — brachte mich nicht jede Stunde näher?.... Das Herz war voller Hoffnung.

Der gefrorene Champagner schmeckte dem Postmeister nicht besonders. Ich goß ihm ein halbes Glas Rum hinein, und dieses neue half and half fand großen Beifall. — Der Fuhrmann, den ich miteingeladen hatte, war noch radikaler; er schüttete Pfeffer in ein Glas Branntwein, rührte es mit einem Löffel um, schluckte es auf Ein Mal hinunter, seufzte schmerzhaft und sagte stöhnend: — „hat prächtig erbittert."

Der Postmeister setzte mich selbst in den Schlitten und war so eifrig um mich besorgt, daß er

in das Heu, welches im Schlitten lag, ein brennen-
des Licht fallen ließ und es nachdem nicht wieder-
finden konnte. Er war bei sehr guter Laune und
wiederholte mehrmals: „Da haben Sie mir auch
ein Neujahrsfest gemacht — da habe ich nun auch
ein Neujahr." — Der „erbitterte" Postillon zog die
Zügel an....

Am folgenden Tage, gegen sieben Uhr Abends,
kam ich in Wladimir an, und stieg in einem Gasthause ab, — in demselben, welches Sologub in
seinem „Tarantas" so trefflich geschildert hat, mit
den wunderlich russisch-französischen Benennungen
der Speisen und mit Essig statt Bordeaux-Weins.

— „Man hat sich heute früh nach Ihnen er-
kundigt, ich glaube, „„sie"" warten in der Bier-
stube", — sagte mir der Kellner, nachdem er meinen
Namen im Reisepasse gelesen hatte.

Ich konnte mir nicht denken, wer nach mir gefragt haben könnte. — „Ja, da sind „„sie""
selbst", — setzte der Kellner hinzu, zur Seite tre-
tend. Es erschien aber zuerst kein Mensch, sondern
ein unermeßlich großer Präsentirteller, auf dem allerlei
Sachen waren: Osterbrod, Kringel, Apfelsinen,
Aepfel, Mandeln, Eier, Rosinen; und erst hinter
dem Präsentirteller zeigten sich der graue Bart und

die blauen Augen des Starosts (Schulzen) aus meines Vaters Dorfe im Gouvernement Wladimir.

— „Gawrilo Semönitsch!" rief ich aus und
warf mich ihm entgegen, um ihn zu umarmen. —
Das war der erste Mensch von den Unsrigen,
die erste der mir von früherher bekannten Gestalten,
welche ich nach meiner Einkerkerung und Verbannung
erblickte. Ich konnte mich an dem klugen Alten
nicht satt sehen, mich nicht satt mit ihm sprechen.
Er war mir eine Versicherung der Nähe von Moskau, vom Hause, von den Freunden: — vor drei
Tagen hatte er sie alle gesehen, er hatte mir Grüße
von allen zu bringen..... Also ist es doch nicht
gar weit!

Mit meiner Uebersiedlung nach Wladimir begann für mich eine neue Lebensperiode — rein, un-
getrübt, jugendlich, ernst, einsiedlerisch und von Liebe
erfüllt.

Aber sie gehört zu einem andern Theil meiner
Lebenserinnerungen, zu einem Theile, den ich zu berühren fürchte, den zu beschreiben mir die Kräfte
fehlen, den ich wahrscheinlich mit Stillschweigen über-
gehen werde.

Schreckliche Ereignisse, nagender Gram lassen
sich leichter zu Papier bringen, als vollkommen lichte,

16*

unbewölkte, heilige Erinnerungen. Kann man sein
Glück erzählen? —

Erwarten Sie also nicht lange Beschreibungen
meines innerlichen Lebens zu jener Zeit von mir.
Das sind Gegenstände, über welche ich mit Niemand
jemals gesprochen habe, — nicht weil es Geheimnisse sind, sondern aus einer gewissen Scheu des
Herzens, — weil sie zu tief, zu eng mit dem ganzen Dasein verflochten sind, — weil sie zart wie
Capillarröhrchen sich in meinem ganzen Wesen ver-
zweigt haben.

Ergänzen Sie selbst, was da fehlen wird, er-
rathen Sie es aus Ihrem eigenen Herzen, — ich
werde nur von der äußerlichen Gestaltung meiner
Umgebung reden, und nur selten durch einen Wink
oder ein Wort auf meine mir heiligen Geheimnisse
deuten.

Beilage.

A. Polejayew. — Sungorow.

Als Beitrag zu unserer Angelegenheit und der Geschichte Sokolowski's will ich Einiges aus einer der unsrigen vorangegangenen Angelegenheit und die Geschichte des armen Polejayew anführen.

Wir wollen mit letzterer anfangen. — Ich habe sie, mehr als Ein Mal, vom Dichter selber gehört.

Polejayew war schon durch ausgezeichnete Gedichte bekannt, als er noch Student an der Moskauer Universität war. Unter Anderem hatte er ein humoristisches Poem „Saschka" verfaßt, welches eine Parodie auf Puschkin's „Onägin" war. — Ohne sich zu geniren hatte er in scherzhaftem Tone und lieblichen Versen darin sehr Vieles angegriffen — auch der Zar blieb nicht verschont. — Dieses Gedicht circulirte als Manuscript in allen Händen.

Nachdem Nikolaus Pestel, Murawiöff und ihre
Freunde aufgehängt hatte, feierte er im Herbste
1826 seine Krönung in Moskau. — . Andere nehmen dergleichen Feierlichkeiten als eine Gelegenheit
zu Ertheilung von Begnadigungen und Amnestien
wahr; Nikolaus aber hatte kaum seine Apotheose zu
Ende gefeiert, als er sogleich wieder „die Feinde
des Vaterlandes niederzuschmettern" begann, wie
Robespierre es nach der dummen Fête-Dieu that.

Die geheime Polizei überbrachte ihm Polejayew's Gedicht.

Und sieh! — eines Nachts, um drei Uhr, weckt
der Rektor Polejayew, befiehlt ihm, seine Uniform
anzuziehen und sich in die Universitäts-Kanzlei zu
begeben. — Da erwartete ihn der Curator. —
Dieser sieht zu, ob an der Uniform keine Knöpfe
fehlen, und ob nicht etwa überflüssige daran seien,
und ladet darauf ohne alle Explication Polejayew
ein, mit ihm in den Wagen zu steigen, und führt
ihn weg.

Er bringt ihn zum Minister der Volks-Auf-
klärung (Liewen). Der Minister setzt Polejayew
wiederum in seinen Wagen und führt ihn ebenfalls — dies Mal aber gerades Wegs zum Kaiser.

Fürst Liewen verließ Polejayew in einem Saal,
in welchem, obgleich es vor sechs Uhr Morgens war,

mehrere Hofleute und hohe Staatsbeamte warteten, und ging selbst in die inneren Gemächer. Die Hofleute bildeten sich ein, der junge Mensch habe sich durch irgend etwas ausgezeichnet, und traten sogleich mit ihm in Gespräch ein. Ein Senator bot ihm an, seinem Sohne Unterricht zu geben.

Polejayew wurde in das Cabinet gerufen. — Der Kaiser stand an ein Büreau angelehnt und sprach mit Liewen, ein Heft in der Hand haltend. Er warf auf den Hereintretenden einen forschenden und boshaften Blick.

— „Hast du diese Verse gedichtet?" fragte er.

— „Ja," antwortete Polejayew.

„Nun, Fürst, will ich Ihnen zeigen," fuhr der Kaiser fort, „ein Musterstück der Universitäts-Erziehung; ich will Ihnen zeigen, was die jungen Leute da lernen."

— „Lies dieses Heft laut vor," — fügte er hinzu, sich von neuem an Polejayew wendend.

Polejayew befand sich in einer so heftigen Gemüthsbewegung, daß er nicht im Stande war zu lesen. Nikolaus' Blick haftete unbeweglich auf ihm. — Ich kenne diesen Blick, und kenne keinen schrecklicheren, hoffnungsloseren, als diesen grau-farblosen, kalten, bleiernen Blick.

— „Ich kann nicht," sagte Polejayew.

„Lies!" schrie der Allerhöchste Feldwebel.

Dieses Geschrei gab Polejayew seine Kraft zurück. Er schlug das Heft auf. — „Nie," sagte er, habe ich „Saschka" so schön und auf so prächtigem Papier abgeschrieben gesehen.

Im Anfang war es ihm schwer zu lesen; später aber, sich mehr und mehr begeisternd, las er laut und lebhaft das Gedicht bis zu Ende vor. — Bei den besonders beißenden Stellen machte der Kaiser dem Minister ein Zeichen mit der Hand. Der Minister bedeckte sich die Augen vor Entrüstung.

— „Was sagen Sie dazu?" fragte Nikolaus, als die Vorlesung beendigt war. — „Ich werde dieser Sittenverderbniß eine Schranke setzen; dies Alles sind noch die Folgen, die Ueberbleibsel — ich werde sie ausrotten — — Wie ist seine Aufführung?"

Der Minister wußte freilich nicht, wie er sich aufführte, aber in diesem Augenblicke wachte in ihm Etwas auf, daß einem menschlichen Gefühle glich, und er sagte:

— „Vortrefflich, E. M."

— „Dieses Zeugniß rettet dich, aber bestraft mußt du werden, den Anderen zum Beispiel. — Willst du in den Militairdienst treten?"

Polejayew schwieg.

— „Ich gebe dir durch den Militairdienst ein Mittel dich zu reinigen. Wohlan denn, willst du?"—

— „Ich muß gehorchen," antwortete Polejayew.

Der Kaiser näherte sich ihm, legte ihm die Hand auf die Schulter und, indem er ihm sagte: „Dein Schicksal hängt von dir selbst ab; sollte ich dich vergessen, so kannst du mir schreiben," küßte er ihn auf die Stirn.

Zehn Mal habe ich mir von Polejayew die Erzählung vom Kuß wiederholen lassen, so unglaublich erschien sie mir. Polejayew schwur, es sei die Wahrheit.

Vom Kaiser wurde Polejayew zu Diebitsch geführt, welcher auch im Palais wohnte. — Diebitsch schlief; man weckte ihn. — Gähnend kam er heraus, las ein ihm überreichtes Papier durch und fragte den Flügel-Adjutanten: — „Ist es der?"— — „Er ist es, E. E." — „Wohlan, recht gut! Dienen Sie meinetwegen im Militair — ich habe fortwährend im Militair gedient; Sie sehen, ich habe mich aufgedient; vielleicht werden Sie auch Feldmarschall werden."

Dieser unpassende, stumpfsinnige Spaß war der Bewillkommnungs-Gruß von Diebitsch. — Polejayew wurde als Soldat nach dem Lager abgeführt.

Es vergingen drei Jahre. Polejayew erinnerte

250

sich der Worte des Kaisers und schrieb ihm einen
Brief. — Es kam keine Antwort. — Einige Monate später schrieb er einen zweiten. — Auch keine
Antwort. — Ueberzeugt, daß seine Briefe nicht
anlangten, flüchtete er aus dem Regiment; er flüchtete, um persönlich dem Kaiser eine Bittschrift zu
überreichen. — Er betrug sich aber unvorsichtig;
in Moskau besuchte er seine Cameraden und wurde
von ihnen bewirthet. Freilich konnte dies nicht geheim bleiben. Er wurde in Twer ergriffen und von
da zum Regiment expedirt als Deserteur — zu
Fuß — und in Ketten. — Das Kriegsgericht verurtheilte ihn zu Spießruthen; das Urtheil wurde
dem Kaiser zur Bestätigung gesandt.

Polejayew wollte sich das Leben nehmen vor
der Vollziehung der Strafe. Nachdem er lange im
Gefängniß irgend eine scharfe Waffe gesucht, vertraute er sich einem alten Soldaten an, der ihn
liebte. Der Soldat verstand ihn und ehrte seinen
Wunsch. — Sobald der Alte erfuhr, daß die Antwort angekommen war, brachte er ein Bajonnet und
sagte, indem er es ihm mit Thränen überreichte: —
„Ich habe es selbst geschliffen.“

Der Kaiser befahl, Polejayew nicht zu schlagen.

Da eben schrieb er sein wunderschönes Ge-

dicht: — „Trostlos ging ich unter, mein böser Ge=
nius triumphirte" . . . .

Polejayew wurde nach dem Kaukasus geschickt,
wo er, nachdem er sich ausgezeichnet hatte, zum Un=
terofficiers=Rang befördert wurde.

Die Jahre verflossen, eins nach dem anderen;
seine traurige Lage und die Hoffnungslosigkeit, aus
derselben sich jemals zu befreien, brachen ihm das
Herz. Ein Polizei=Poet werden und Nikolaus'
Tugenden besingen — konnte er nicht, und dies
war für ihn der einzige Weg, um sich vom Tor=
nister zu befreien.

— Doch es war noch einer! und diesen zog er
vor — er ergab sich dem Trunke, um sich zu be=
täuben. — Es giebt von ihm ein schreckliches Ge=
dicht: „An den Branntwein."

Er bat, in ein Karabinier=Regiment, welches
in Moskau stand, versetzt zu werden. — Es ge=
lang ihm, und dadurch wurde sein Schicksal merk=
lich gebessert. Aber die Schwindsucht zehrte schon
an seiner Brust.

Zu jener Zeit — im Jahre 1833 — machte
ich seine Bekanntschaft.

Vier Jahre ungefähr hat er noch geschmachtet;
dann starb er in einem Soldaten=Spital.

Als einer seiner Freunde kam, um seinen Leich=

nam zur Bestattung sich auszubitten, wußte Niemand,
wo derselbe sei. Die Leichname sind ein Handels-
Artikel in dem Soldaten-Spital; sie werden an
die Universität, an die medicinische Akademie verkauft; man bereitet aus ihnen Skelette, u. dgl. —
Endlich fand man den Leichnam des armen Polejayew in einem Keller; er war zwischen andere Leichname geworfen, Ratten hatten bereits ein Bein ab-
genagt.

Nach seinem Tode wurden seine Gedichte her-
ausgegeben, und man wollte ihnen sein Portrait im
Soldaten-Mantel vorsetzen. Die Censur fand dies
unschicklich, und der arme Märtyrer ist in Officiers-
Epauletten dargestellt; — im Krankenhause wurde
er zum Officiers-Rang befördert *) . . . .

*) Die nicht gedruckten Gedichte Puschkin's, Lermon-
tow's, Polejayew's, Ryleew's, u. A. herausgeben zu können,
ist einer unserer lebhaftesten Wünsche. Wir gehen sogar mit
der Idee um, uns an die russische Regierung oder Geistlichkeit mit der Bitte zu wenden, uns die Manuscripte zuzu-
schicken, — da diese Zusendung seltens weltlicher Literaten,
Publicisten, Progressisten gar zu lange auf sich warten läßt.

Anm. des Verlegers. — Man muß nämlich wissen, daß
H. Herzen, nachdem er seine Druckerei in London eingerichtet, einen
Aufruf in den Zeitungen — unter anderen in der Augsburger
Allgemeinen — hierauf bezüglich veröffentlicht und für Zusendun-
gen der Art folgende Adresse angegeben hatte: *M. Franz Thimm, book-
seller — 3, Brook-Street, Grosvenor Square, London.*

Im Jahre 1827 wurden auf der Universität die Gebrüder Kritsky ergriffen. Sie sind verschwunden. Niemand wußte eigentlich, was sie gethan hatten, und was man ihnen gethan hat.

Die letzte Fournée von der Moskauer Universität, — um im Style des Jahres 1794 zu reden — welche uns voranging, wurde in Regimenter und Straf-Colonien versandt im Jahre 1833. Mir waren darunter Kosteneski, Kohlreif, Antonovitsch bekannt. Sie waren alle reine, edle Jünglinge. Besonders lebhaft ist mir Julius Kohlreif im Gedächtniß geblieben, der Sohn eines lutherischen Pastors in Moskau. Er war ein außerordentlich begabter Musiker und ein vortrefflicher Camerad. In ihm hatte sich all' die Naivetät und Einfachheit von Deutschlands Jünglingen erhalten, nur durch die russische Gesellschaft von der Abgeschmacktheit und Kleinlichkeit deutscher Sitten befreit. Von schwacher Gesundheit, zart und mild, wurde er durch eine siebenjährige Dienstzeit im Militair zu Grunde gerichtet. Polejayew wurde wegen Schwindsucht zum Officier avancirt, Kohlreif wurde wegen Schwindsucht begnadigt. Er kehrte nach Moskau zurück, um in den Armen des Vaters zu sterben.

Sie wurden auch so, wie wir, durch eine specielle Commission gerichtet. Die Regierung ist so

sehr von der Untauglichkeit der gewöhnlichen Gerichte überzeugt, daß sie allemal, wenn etwas Besonderes vorfällt, eine Commission ernennt, welche
nach unbekannten Instruktionen richtet und die Strafen nicht nach dem Gesetzbuch, sondern nach In-
spiration zuerkennt.

Nach der riesenhaften Verschwörung, welche
alles Schöne, Jugendliche, Kräftige, alles durch
Talent, Muth und Herkunft Ausgezeichnete in Rußland in sich faßte, sind alle späteren Vereins-Ver-
suche mißlungen, da sie sich nur in kleineren Kreisen bewegten und aufgelöst wurden, noch ehe sie zu
irgend einer Demonstration gekommen waren. In-
nere Thätigkeit absorbirte die unmittelbar politische.

Dennoch konnten beim Anblick aller Verfolgungen und aller Maßregeln der Regierung, beim
Anblick der Tausende von Polen, die nach Sibirien
wanderten, — der Leibeigenschaft und der zu Tode
gepeitschten Soldaten, — vorzüglich inmitten der
Jugend — Versuche nicht ausbleiben, von neuem
geheime Bünde zu stiften und zu conspiriren. In
Folge dessen kamen dann auch wieder mit derselben
Periodicität neue Verbannungen nach Sibirien, in
die Regimenter, nach dem Kaukasus — — und
alles Das hielt gleichen Schritt mit einer unausge-

setzten Thätigkeit des Gedankens, das Sphynx-
Räthsel des russischen Lebens zu erklären.

Sungurow habe ich nicht gekannt. Er wurde
härter als alle Uebrigen bestraft.

Nachdem er seinen Cursus auf der Universität
beendigt hatte, war er in den Staatsdienst getreten und hatte sich verheirathet. Er war Gutsbesitzer im Moskauer Kreise. — Man fand, daß er
der Hauptschuldige sei, und verurtheilte ihn zur
Verschickung nach den Straf-Colonien.

Als er auf die erste Etappe — in den Sper-
lingsbergen — gekommen war, erbat er sich vom
Officier die Erlaubniß, aus dem dumpfen Bauern-
hause, welches von Verwiesenen überfüllt war, in die
reine Luft gehen zu dürfen. Der Officier, ein junger
Mann von zwanzig Jahren, ging selbst mit ihm
auf den Postweg hinaus. Sungurow suchte einen
günstigen Augenblick aus, wendete sich vom Wege
ab und ergriff die Flucht. — Wahrscheinlich war
ihm die Dertlichkeit sehr gut bekannt, es gelang
ihm, dem Officier zu entschlüpfen. Aber am folgenden Tage geriethen die Gendarmen auf seine
Spur. — Als er einsah, daß für ihn keine Rettung mehr war, schnitt er sich die Gurgel durch.
Die Gendarmen brachten ihn besinnungslos und
blutend nach Moskau.

Der unglückliche Officier wurde zum Soldaten degradirt.

Sungurow starb nicht. Er wurde von neuem gerichtet; dies Mal aber nicht mehr als politischer Verbrecher, sondern als entlaufener Colonist. Der Kopf wurde ihm zur Hälfte geschoren, — eine originelle und wahrscheinlich von den Tataren ererbte Maßregel, welche zur Verhütung des Ausreißens gebraucht wird und mehr als die körperlichen Strafen das Maaß der Verachtung gegen alle Menschenwürde von Seiten der russischen Gesetzgebung beweist. — Zu dieser Schändung fügte das Urtheil noch Einen Peitschen-Hieb innerhalb der Mauern des Zuchthauses hinzu, — eine neue Erniedrigung, eine Abscheulichkeit mehr. — Nach alle Dem wurde Sungurow nach Sibirien versandt.

Sein Name ist noch ein Mal bis zu mir gedrungen und ist dann gänzlich verschollen.

In Wätka begegnete ich einst auf der Straße einem jungen Arzte, der ein Universitäts-Camerad von mir gewesen war. Er reiste nach irgend einem Hüttenwerk. Wir kamen in's Reden über die vergangenen Zeiten und über unsere gemeinschaftlichen Bekannten.

„Ach!" — sagte der Arzt, — „wissen Sie, wen ich auf dem Wege hieher gesehen habe? — Im

Gouvernement Nijny-Nowgorod sitze ich eines Tages auf einer Post-Station und warte auf Pferde.
Das Wetter war gräßlich. Da trat ein Etappen-
Officier, welcher eine Partie Arrestanten führte, in
die Stube herein, um sich zu wärmen. Wir geriethen mit einander in's Gespräch. Als er hörte,
daß ich ein Arzt sei, bat er mich, mit ihm bis zur
Etappe zu gehen, um einen von den Verwiesenen
zu besichtigen und ihm zu sagen, ob derselbe sich
krank stelle oder wirklich schwer erkrankt sei. Ich
begab mich dahin, natürlich mit dem Vorsatz, jedenfalls die Aussage des Gefangenen zu bestätigen. —
In einer kleinen Etappe fand ich an achtzig Menschen mit Ketten beladen, geschoren und ungeschoren,
Weiber und Kinder. Sie machten alle dem Officier
Platz, und wir erblickten auf einer schmutzigen
Diele, in einer Ecke auf Stroh liegend, eine
„in den Uniforms-Rock eines Verbannten" einge-
wickelte Gestalt.

„Das ist der Kranke," — sagte der Officier. —
Ich brauchte nicht zu lügen. Der Unglückliche hatte
ein sehr heftiges hitziges Fieber. Abgemagert und
erschlafft von der Haft und von der Reise, mit halb-
rasirtem Kopf und langem Bart, sah er fürchterlich
aus. Besinnungslos rollte er die Augen umher
und bat fortwährend um Etwas zu trinken.

„Dir ift ſchlimm zu Muthe — nicht wahr?
Bruder," ſagte ich dem Kranken, und flüſterte dem
Officier zu: — „Er kann unmöglich weiter gehen."

Der Kranke firirte ſeine Augen auf mich und
murmelte: — „Sind Sie das?" — Er nannte
meinen Namen. — „Sie erkennen mich nicht," —
fügte er hinzu mit einer Stimme, die mir das Herz
durchbohrte.

— „Entſchuldigen Sie mich," ſeine trockene
und glühende Hand nehmend, — „ich kann mich
nicht erinnern" . . .

— „Ich bin Sungurow," antwortete er.

— „Armer Sungurow!" wiederholte kopf=
ſchüttelnd der Arzt.

— „Nun," — fragte ich, — „hat man ihn
denn da gelaſſen?"

— „Nein," — aber man legte ihn in einen
Karren."

Druck:
Customized Business Services GmbH
im Auftrag der KNV-Gruppe
Ferdinand-Jühlke-Str. 7
99095 Erfurt